BIBLIOTHEE<BREDA

Wijkbibliotheek Prin~~~~

Sc'

4841 X

Adri **van Kooten**

de **Gezelschaps-volière**

Handige tips en deskundige adviezen voor het
verzorgen van vogels in een gezelschapsvolière

about pets

de Inhoud

Voorwoord

Er zijn heel veel mensen die van vogels houden. Het is
dan ook niet verwonderlijk dat veel liefhebbers overgaan tot de aanschaf van één of meerdere vogels. De
eerste stap daarin is vaak een vogeltje in een kooitje.
Als dit goed bevalt dan is een volgende stap meestal
een volière. Als het besluit tot het bouwen van een
volière eenmaal genomen is, wordt de liefhebber
geconfronteerd met heel veel vragen waarop hij vaak
geen antwoord weet. Vragen als: 'Met welke aspecten
moet ik rekening houden bij de bouw van een volière',
'Welke bouwmaterialen kunnen het best gebruikt worden?', 'Hoe dient het nachtverblijf er uit te zien?', 'Hoe
groot moet de volière zijn voor het aantal vogels dat ik
wil houden?', 'Welke planten zijn geschikt voor een
volière?, 'Welke vogels kunnen bij elkaar gehuisvest
worden in één volière?'. Op al deze, maar ook andere
vragen geeft dit boek een antwoord. Het is dan ook
een zeer nuttig, zo niet onmisbaar naslagwerk voor
beginnende liefhebbers die overgaan tot de bouw en
inrichting van een volière.

www.overdieren.nl

Foto's:

Rob Dekker, Adri van Kooten,

Piet Onderdelinden en

Jan de Nijs

Eerste druk 2007

Welzo Media Productions ©

Postbus 26

9989 ZG Warffum

e-mail: info@overdieren.nl

ISBN 978-90-5821-258-0

NUR 431

Alle rechten voorbehouden

De keuze van huisvesting wordt bepaald door de ruimte in en om het huis en de financiële middelen waarover u beschikt. Gelukkig is het houden van vogels ook goed mogelijk wanneer u klein behuisd bent.

Binnen of buiten

Houdt u vogels binnenshuis dan zal u rekening moeten houden met het aantal vogels dat u aanschaft. Een binnenvolière heeft voordelen die een tuinvolière niet heeft. Een binnenvolière kan misschien minder vogels huisvesten maar u heeft een beter overzicht als u een beperkt aantal vogels houdt. Ook zullen de kosten lager zijn bij een beperkt aantal vogels, dan bij een groot aantal vogels. Als u vogels binnenshuis houdt

worden ze soms tammer dan wanneer ze in de tuin gehouden worden.

Is er gelegenheid om in de tuin een volière te bouwen dan verdient een buitenvolière met nachtverblijf de voorkeur. Een buitenvolière heeft als voordelen dat er veel vliegruimte is en dat er meer vogels in gehouden kunnen worden. Vogels hebben behoefte aan frisse buitenlucht en daarom verdient een tuinvolière de voorkeur.

Bij het bouwen van het nachtverblijf kunt u extra ruimte vrij houden voor het plaatsen van aparte broedkooien. Het plaatsen van broedkooien in het nachtverblijf geeft het voordeel van gerichte kweek en het zonodig apart zetten van (jonge) vogels. Een goede afmeting voor een buitenvolière is

De volière

bijvoorbeeld twee á drie meter breed, vier á vijf meter lang en twee meter hoog. Een iets kortere vlucht mag, maar u kunt beter niet tornen aan de breedte en de hoogte maten. Het nachtverblijf zou een afmeting kunnen krijgen van twee meter breed, een meter diep en twee meter hoog. Indien u besluit om ook wat broedkooien in het nachtverblijf te plaatsen dient u hier rekening mee te houden.

Bedenk ook dat er nog voldoende loopruimte voor uzelf in het nachtverblijf moet overblijven. Een redelijke afmeting van een dergelijk nachtverblijf is vier á vijf meter lang, drie á vier meter breed en een hoogte van tweeënhalve meter. Het geniet de voorkeur de buitenvolière zo te bouwen dat de voorzijde op het oosten of westen is gericht. Niet op het zuiden omdat de volière dan in de volle zon staat en niet op het noorden vanwege de kou in de winter. Zorg verder voor een goede beschutting tegen wind en regen in de koude maanden.

Een gedeelte van de vlucht kunt u overdekken met doorzichtige golfplaten. Het voorkomt insleep van vogelziekten doordat vogelpoep van wilde vogels niet in de volière terechtkomt.

Zelf bouwen
Voordat u overgaat tot de bouw van een volière dient u zich op de hoogte te stellen van de plaatselijke bouwvoorschriften bij het loket Bouwen en Wonen van uw gemeente. Als u een bouwvergunning aanvraagt dient u een bouwtekening in te dienen. De bouwtekening moet veelal in drievoud en met een opgave van de door u te gebruiken materialen worden ingediend. Wanneer u in een huurhuis woont, moet u niet verzuimen de bepalingen met betrekking tot het bouwen van een volière, in het huurcontract na te kijken. Houd u vooral strikt aan de tekening en de bouwvoorschriften zodat achteraf geen narigheid ontstaat.

Bouwmaterialen
Kies de bouwmaterialen die u gaat gebruiken met zorg uit. Het ene materiaal vraagt veel meer onderhoud dan het andere. Zo zal een houten nachtverblijf meer onderhoud vragen dan een van steen. Ook zal een buitenvolière van hout kwetsbaarder zijn dan een buitenvolière van bijvoorbeeld aluminium. Natuurlijk zullen financiële aspecten hier een belangrijke rol spelen. Toch moet met betrekking tot dit punt nog de volgende opmerking gemaakt worden: deze intensieve hobby kost veel tijd. Zaken zoals schuren, verven en andere onderhoudsklussen schieten er dan al gauw bij in, leert de ervaring. Onderhoudsarme bouwmaterialen zoals steen en aluminium zijn in aanschafkosten echter vaak iets duurder. Een prima alternatief is het gebruik van de zogenaamde isolatiepanelen die vaak ook in

Pluimvee
Wilt u ook kwartels, patrijzen of bijvoorbeeld duiven houden in uw volière, denk tijdens de bouw van het verblijf er wel om dat deze (en nog andere vogels) ter voorkoming van vogelgriep (aviaire influenza) ook afgeschermd gehouden moeten kunnen worden.
Deze vogels worden namelijk tot pluimvee gerekend. Dit in tegenstelling tot andere hier beschreven soorten en hun verwanten.

de volière

Verder is het erg belangrijk materialen te kiezen die gemakkelijk te reinigen zijn. Zo zullen materialen van kunststof gemakkelijker te reinigen zijn dan houten materialen. Denk in dit kader bijvoorbeeld aan de wanden van het nachtverblijf van de vogels. Deze zullen immers regelmatig schoongemaakt moeten worden. Besteed ook aandacht aan de vloer in het nachtverblijf. Zo zal een vloer met een afvoerput gemakkelijker schoon te houden zijn dan één zonder.

Het interieur van het nachtverblijf en de eventuele broedkooien kunt u witten met een veegvaste witkalk, die in de meeste dierenspeciaalzaken wel te verkrijgen is. Indien het nachtverblijf opgebouwd is uit isolatiepanelen is dit niet nodig omdat deze panelen al (wit) gecoat zijn.

b-keus kwaliteit worden aangeboden. Deze panelen zijn eenvoudig zelf te bewerken en te monteren. Met de bijpassende u-profielen en hoekprofielen kunt u het nachtverblijf bouwen en afwerken. Groot voordeel van deze panelen is dat het verblijf direct geïsoleerd is en aan beide kanten glad is afgewerkt.

Zijn uw financiën de beperkende factor dan kunt u ook klein beginnen. Als de financiën het in een later stadium toelaten, kunt u immers altijd nog de volière uitbreiden. Wel is het verstandig alvast rekening te houden met een eventuele uitbreiding. Dit kan u namelijk een hoop extra (sloop) werk en kosten besparen.

Ventilatie

Vergeet niet in het nachtverblijf voldoende ventilatieroosters aan te brengen. Door een doelmatige plaatsing van de af- en toevoerroosters kunt u de natuurlijke ventilatie gunstig beïnvloeden. Door het temperatuurverschil tussen de warmere lucht in het nachtverblijf en de koudere buitenlucht, ontstaat er een drukverschil tussen de binnen- en buitenlucht. Om hier optimaal van te profiteren is het van belang dat de ontluchtingsroosters (afvoer verontreinigde lucht) zo hoog mogelijk worden aangebracht en de toevoerroosters (aanvoer verse lucht) net boven de vloer.

Ventilatierooster

Soort gaas

Voor de keuze van het gaas is het erg belangrijk te weten welke vogels u in de gezelschapsvolière wilt gaan houden. Parkieten en papegaaien hebben steviger gaas nodig dan kleine tropische vogels. Vooral de grootte van de vogels in de gezelschapsvolière zal bepalend zijn voor de keuze van de maaswijdte van het gaas. Oranjekaakjes en Napoleonnetjes gaan bijvoorbeeld met gemak door gaas van 19 x 19 mm heen. Indien er geen grote parkieten en/of papegaaien in de gezelschapsvolière worden gehouden, kunt u het beste voor gaas met een maaswijdte van circa 13 x 13 mm kiezen.

Nieuw gaas glimt nogal. Dit is tegen te gaan door het gaas te behandelen met zwarte verf. Het aanbrengen van de verf gaat het gemakkelijkst met een (brede) verfroller. Tegenwoordig is er ook gaas van zeer stevig (zwart) kunststof in de handel, waarachter ook kleine tropische vogels gehouden kunnen worden. Dit gaas is ijzersterk en heeft een werkbreedte van twee en vier meter. Het is erg licht en zeer prettig te bewerken. Zo is het strak trekken van dit gaas bijvoorbeeld erg gemakkelijk.

Sluis

Bij de bouw van de buitenvolière is het raadzaam om een sluis aan te brengen. Een sluis voorkomt dat bij het betreden van de volière

vogels naar buiten kunnen ontsnappen. Immers, als één van de vogels ontsnapt bij het betreden van de buitenvolière, zal hij in de sluis terecht komen en gemakkelijk weer terug in de volière te plaatsen zijn. Indien er geen plaats is voor een sluisje dient u het volièredeurtje zo laag mogelijk te maken, bijvoorbeeld niet hoger dan anderhalve meter. Doordat vogels de neiging hebben naar boven te vliegen, zal bij een laag deurtje de kans op ontsnappen kleiner zijn.

Temperatuur

Een groot aantal tropische vogels kan alleen gehouden worden bij een relatief hoge omgevingstemperatuur, 15 °C of hoger. Indien u dergelijke vogels in uw gezelschapsvolière wilt houden, zal het nachtverblijf hierop aangepast moeten zijn. Er zijn allerlei verwarmingsapparaten verkrijgbaar, zoals gas-, olie-, elektrische- en ventilatorkachels. Gas- en oliekachels

de volière

nachtverblijf worden aangebracht en/of één of meer doorzichtige kunststof koepels in het dak. Om een goede natuurlijke verlichting te krijgen dient het totale oppervlak van de ramen minimaal gelijk te zijn aan een zesde van het vloeroppervlak van het nachtverblijf. De verdeling van de ramen moet zodanig zijn dat er nergens donkere schaduwen ontstaan.

zijn minder geschikt als verwarming in vogelverblijven. Denk hierbij aan het gevaar voor brand (open vlam) en ventilatieproblemen. Elektrische, met olie gevulde radiatoren kennen dit gevaar niet. Centrale verwarming is ook een goede keuze. Indien u in het bezit bent van centrale verwarming kunt u overwegen om deze door te trekken naar het nachtverblijf.

Mocht u er voor kiezen het nachtverblijf niet te verwarmen dan zult u hier rekening mee moeten houden bij de aanschaf van de vogels. In alle gevallen is het belangrijk dat de vogels kunnen beschikken over een droog, tocht- en vorstvrij nachtverblijf. Vooral vocht en tocht zijn zeer nadelig voor de gezondheid van vogels.

Verlichting in het nachtverblijf

Daglicht in het nachtverblijf is erg belangrijk. Het is daarom belangrijk dat er voldoende ramen in het

Een kunstmatige verlichting zal in een vogelverblijf vrijwel altijd noodzakelijk zijn. Dit geldt vooral in de wintermaanden. Als u overdag werkt, verzorgt u de vogels veelal in de vroege ochtend of 's avonds. Voor een vogelverblijf zal een tl-verlichting de meest aangewezen kunstmatige verlichting zijn. De beste keuze in tl-verlichting zijn tl-buizen die het daglicht imiteren met infrarode stralen en ultraviolette. Deze tl-buizen zijn in de meeste dierenspeciaalzaken onder de naam 'true-lite' verkrijgbaar. Aanbevolen wordt om voor elke 2,5 meter lengte van het vogelverblijf 1,5 meter tl-buis te plaatsen. Ook wordt wel 40 watt per vierkante meter als norm aangehouden.

Een speciale nachtverlichting mag eigenlijk ook niet ontbreken in een vogelverblijf. In geval van bijvoorbeeld storm, onweer en/of andere verstoringen kan een nachtlichtje ervoor zorgen dat de vogels rustig blijven en/of snel weer rustig worden. Er zijn verschillende typen

Nachtlampje

nachtverlichtingen. De nachtlampjes die op kinderkamers gebruikt worden, zijn hiervoor zeer geschikt. Ze kunnen direct in het stopcontact gestoken worden. Tegenwoordig zijn er ook 'stopcontact lampjes' die voorzien zijn van een sensor. De sensor zorgt er in dat geval voor dat bij schemerlicht het lampje begint te branden. Dergelijke lampjes voldoen prima.

Zitstokken

Het verdient aanbeveling zoveel mogelijk gebruik te maken van natuurlijke zitstokken in de volière. Zorg ervoor dat de stokken verschillend van dikte zijn. Dit bevordert namelijk het afslijten van de nagels en de ontwikkeling van de pootspieren. Ronde zitstokken hebben het nadeel dat de tenen van de vogels steeds in dezelfde positie gekromd zijn. Ovale zitstokken hebben de voorkeur boven ronde. Op een ovale zitstok kan de voet van de vogel rusten.

Bevestig de zitstokken stevig en onbeweeglijk in de volière. Bij bevestiging van zitstokken aan de wanden van het binnenverblijf moet u ervoor zorgen dat er twee tot drie millimeter ruimte blijft tussen de wand en de zitstok. Door de zitstokken op deze wijze te bevestigen krijgt bloedluis, ingeval u daar last van mocht krijgen, niet de kans om zich tussen de wand en de zitstok te nestelen. Voor wat betreft de buitenvolière geldt, dat

u de zitstokken zodanig moet aanbrengen dat de vogels bij het overvliegen een zo groot mogelijke afstand moeten overbruggen. Een vogel is immers gebouwd om te vliegen! Plaats de zitstokken zoveel mogelijk hoog in de volière. Vogels hebben namelijk een duidelijke voorkeur voor hoge zitplaatsen.

Afhankelijk van de beschikbare ruimte en de hoeveelheid vogels die een zitplaats in de volière moeten hebben, maakt u aan weerszijden in de volière twee of meerdere zitstokken. Om te voorkomen dat de vogels elkaar met uitwerpselen besmeuren brengt u deze zitstokken onder een hoek van 45 graden ten opzichte van elkaar aan. Als maat voor de onderlinge verticale afstand tussen de zitstokken houdt u ongeveer 25 centimeter aan. In dat geval kunnen de vogels op de onderste zitstok net niet met de snavel bij de staartpennen van de vogels op de

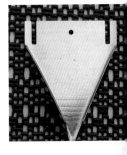

Verschillende zitstokken
Onder: Zitstokhouder

de volière

Boomschors als bodembedekking

bovenste stok. Nogmaals: het is altijd goed om gebruik te maken van natuurlijke zitstokken. In dat kader hebben zitstokken van wilgentakken en fruitbomen de voorkeur. Voor het bevestigen van de zitstokken kunt u het beste gebruik maken van zogenaamde stokhouders. Deze zijn zeer eenvoudig aan te brengen en geven u de mogelijkheid de stokken, indien gewenst, gemakkelijk te vervangen of te verwijderen.

Opening/luikje

Als de vogels van de buitenvolière naar het nachtverblijf willen moet er een opening of luikje in de wand van het nachtverblijf zitten. Een opening van vijftien bij vijftien centimeter is in de meeste gevallen groot genoeg. Zorg er hierbij voor dat de opening af te sluiten is met een luikje of schuifje dat op afstand kan worden bediend. Dit is zeer handig bij het vangen van vogels. Om het sluiten en openen van het luikje op afstand mogelijk

te maken kunt u, ter bescherming van het touwtje, het beste gebruik maken van een pvc buisje dat u in de buitenvolière en/of nachtverblijf aanbrengt. Bedenk wel dat het luikje/schuifje van zwaar materiaal gemaakt moet zijn, bijvoorbeeld van trespa. Het moet namelijk wel uit zichzelf naar beneden schuiven als u de opening wilt afsluiten. Monteer aan weerszijden van het luikje een horizontaal plankje. Dit vergemakkelijkt namelijk het naar binnen en buiten gaan van de vogels.

Naast een luikje kan eventueel ook gekozen worden voor een openstaand raampje. Bescherm in dat geval het raam wel met gaas zodat de vogels er niet tegenaan vliegen.

Bodembedekking

Er zijn verschillende materialen die als bodembedekking voor de volière gebruikt kunnen worden. De bodembedekking is vooral bedoeld om de uitwerpselen van de vogels gemakkelijker te verwijderen.

Buitenvolière

Het is belangrijk om een goede bodembedekking te kiezen voor de buitenvolière. Het mooiste is een natuurlijke aanblik waarbij in de buitenvolière allerlei planten worden geplant. In veel gevallen zal de grondsoort bepalen welke planten wel en welke niet in de buitenvolière kunnen worden geplant. U kunt natuurlijk ook kiezen voor een betonnen vloer waarop dan later grote potten of kuipen worden geplaatst met planten en struiken. Dit laatste kunt u ook doen wanneer u kiest voor een bodem van zand, grof steenslag, grind of cementtegels. Grof steenslag en grind hebben het voordeel dat het gemakkelijk kan worden geschoffeld en schoongespoeld, maar ook een betonnen vloer en of cementtegels met een laagje zand of kippengrit erover voldoen prima. Indien u voor een bodem van aarde kiest, dan is het raadzaam deze af en toe om te spitten vanwege de vogeluitwerpselen. Dek uw buitenvolière geheel af met doorzichtige golfplaten. Hierdoor is de kans dat uw volièrevogels door inheemse vogels worden geïnfecteerd (bijvoorbeeld met worminfecties) erg klein.

Nachtverblijf

Voor het nachtverblijf is een bodembedekking van kippengrit heel geschikt. Het voordeel van kippengrit is dat de bodem vrijwel altijd een schone aanblik geeft en kippengrit blijft, in tegenstelling tot bijvoorbeeld zand, altijd keurig op zijn plaats liggen. Tegenwoordig gebruiken veel liefhebbers een dikke strooilaag van beukensnippers, maar ook kranten worden wel als bodembedekking gebruikt. Een nadeel bij het gebruik van kranten is, dat u vanwege het voortdurende verschonen wel over veel kranten moet kunnen beschikken. Kranten worden

papperig als ze nat worden en scheuren gemakkelijk. Drukinkt geeft af en als de vogels het papier inslikken kunnen ze vergiftigd worden. Kies liever een andere bodembedekker. Een veel gebruikte bodembedekking is schelpenzand. Door de leverancier is aan dit schelpenzand, dat in elke dierenspeciaalzaak verkrijgbaar is, in veel gevallen (vogel)grit toegevoegd. Hoe noodzakelijk grit voor het vogellichaam is kunt u lezen in het hoofdstuk over de voeding. Het nachtverblijf voor de vogels kan ook een kale betonnen vloer hebben. De (gedroogde) uitwerpselen van de vogels kunnen dan met behulp van een plamuurmes los gestoken worden van de betonnen bodem.

Zand als bodembedekking

Brem

Brem

Vlier in bloei

Geschikte planten

Een gezelschapsvolière waarin verschillende planten zijn aangebracht zal er een stuk aantrekkelijker uitzien dan een kale volière. Bedenk wel dat het aanbrengen van planten in een gezelschapsvolière waarin parkietachtigen zijn ondergebracht verspilde moeite is. Deze vogels zullen door hun nooit aflatende knaaglust de planten geen ogenblik met rust laten. De beplanting zal dan ook bij deze vogels slechts een kort leven beschoren zijn. Voor deze vogels zal voor een meer decoratieve aanblik van de volière gekozen moeten worden. Geschikte materialen hiervoor zijn bijvoorbeeld dode oude boomstronken, boomschors, natuursteen en biezen en of rieten matten. Ook het regelmatig verstrekken van verse wilgentakken en het ophangen van bossen vers geplukt gras en onkruid kunnen de volière in een dergelijk geval nog een heel natuurlijke aanblik geven.

Wordt de gezelschapsvolière echter in hoofdzaak bevolkt door tropische vogels dan zullen de vogels u dankbaar zijn voor elke plant die u in de volière aanbrengt. De vogels zullen de planten onder meer benutten als speelplaats, schuilplaats en nestplaats. Ook zullen ze in de planten de schaduw opzoeken bij felle zonneschijn. Bij de keuze van de planten moet erop gelet worden dat deze tegen een stootje kunnen en dat ze niet giftig zijn voor vogels. Een aantal vogels, waaronder de kanarie, doet zich graag tegoed aan de jonge scheuten van planten. Dit kan zoveel mogelijk voorkomen worden door de vogels regelmatig, maar met mate, groenvoer te geven.

Hoewel een gezelschapsvolière geen keurig onderhouden tuintje hoeft te zijn, hebben de planten wel enige verzorging nodig. Zo zullen ze van tijd tot tijd gesnoeid of geknipt moeten worden. Doet u dit niet dan zullen de planten op een dag zo rijkelijk bloeien dat u uw vogels niet meer kunt zien in de volière. Dat is natuurlijk niet de bedoeling van een gezelschapsvolière. Let op de grondsoort waarin de planten geplant worden. Niet elke grondsoort is geschikt voor iedere plant. Win hierover advies in bij een tuinliefhebber, kwekerij of tuincentrum.

Buxus

Klimop

Geschikte planten voor uw gezelschapsvolière:

Acacia	- *Robinia pseudoacacia*
Bamboe	- *Sinarudinaria*
Brem	- *Sarothamnus scoperius*
Bruidssluier	- *Polygonum baldschuanicum*
Gewone vlier	- *Sambucus nigra*
Haagbeuk	- *Carpinus betulus*
Jeneverbes	- *Juniperus communis*
Klimop	- *Hedera helix*
Krentenboom	- *Amelanchier lamarckii canadensis*
Kruisbes	- *Ribes uva-crispa*
Lariks	- *Larix decidua*
Liguster	- *Ligustrum vulgare*
Lijsterbes	- *Sorbus aucuparia*
Lijsterbesspirea	- *Sorbaria sorbifolia*
Meidoorn	- *Crataegus monogyna*
Palmboompje	- *Buxus sempervirens*
Rode ribes	- *Ribes sanguineum*
Sering	- *Syringa*
Vlinderstruik	- *Buddleia davidii*
Vuurdoorn	- *Pyracantha*
Wilg	- *Salix*

Wilg

Conifeer

Conifeer

Aanschaf

Volièrevogels kunnen zowel in een dierenspeciaalzaak als bij een kweker gekocht worden. Bij een kweker zitten meestal meer vogels en de prijs ligt vaak wat lager. Toch kunnen in een dierenspeciaalzaak ook goede vogels gekocht worden.

Keuze
Bepaal van tevoren welke soorten u wilt gaan houden en informeer of deze soorten goed samen gaan. Het gemakkelijkste is om soorten te kiezen die hetzelfde menu hebben. Zo voorkomt u dat uw vogels tekorten oplopen. Meer over verschillende combinaties leest u in het hoofdstuk *Vogelsoorten*.

Waarop letten
Wanneer u vogels wilt aanschaffen dan is er een aantal zaken waar u op moet letten. Het meest belangrijke is de gezondheid van de aan te schaffen vogels. Een gezonde vogel zit actief in de kooi of volière en draagt de veren strak en glad langs het lichaam. De ogen zijn helder en glanzend en hij heeft interesse in alles wat om hem heen gebeurt. Een vogel die zich niet lekker voelt, zit vaak met opgezette veren en doffe ogen stilletjes in een hoekje.

• Bekijk de aan te schaffen vogel(s) altijd vanaf een afstand. Ga nooit 'boven' op de kooi of volière staan. Door de meeste vogels wordt dit namelijk als zeer bedreigend ervaren. Zelfs de meest zieke vogel zal in een

dergelijk geval de veren glad en strak tegen het lichaam dragen.

- Kijk of de veren rond de anus schoon zijn. Wanneer de veren rond de anus bevuild zijn met ontlasting kan dit wijzen op diarree, een teken dat de vogel niet gezond is.
- Koop zoveel mogelijk vogels met een voetring. Een voetring betekent dat de vogel gekweekt is door een kweker die bij een vogelbond is aangesloten. Op de voetring staat het registratienummer van de kweker vermeld, een volgnummer en heel belangrijk, het geboortejaar van de vogel. Van de ring is dus af te lezen hoe oud de vogel is.
- Schaf bij voorkeur jonge vogels aan die nog niet voor de kweek zijn ingezet. Oudere vogels hebben het nadeel dat hun achtergrond onbekend is. Het kunnen vogels zijn die niet of slecht broeden en daardoor weggedaan zijn door de vorige eigenaar.
- Denk er bij het uitvangen om dat u altijd de borst van de vogel voelt. Het borstbeen mag beslist niet scherp aanvoelen. Is dit wel het geval dan is de vogel veel te mager en waarschijnlijk ziek.
- Kijk vooral ook naar het gedrag van de vogel(s). Zitten ze rustig op de zitstok? Erg onrustige vogels kunnen beter niet aangeschaft worden.
- Schaf de vogels zoveel mogelijk in het voorjaar aan. De winter is dan geweest en de vogels

krijgen de tijd om in de volière te acclimatiseren. Nog beter is het om reeds geacclimatiseerde vogels aan te schaffen.

- Vraag de verkoper of de kweker naar de voedermethode en de merken zaad en eivoer/krachtvoer die hij/zij gebruikt. Geef de pas aangekochte vogels hetzelfde voer. Schakel desgewenst langzaam over op ander voer.
- Koop nooit vogels omdat u anders een vergeefse reis heeft gemaakt en u niet met lege handen thuis wilt komen. Het kopen van vogels dient met zorg te gebeuren. Maak een juiste afweging of de vogels aan de gestelde eisen en wensen voldoen. Dit voorkomt dat u er later spijt van krijgt.
- Verder is bij de aanschaf van vogels belangrijk niet steeds nieuwe vogels aan de bestaande collectie toe te voegen. Elk vogelpaar heeft in de volière een bepaald territorium waarin zij de baas zijn. Nieuwe vogels worden veelal gezien als indringers, wat vaak leidt tot onrust in de volière.

Vervoerskistje

Voor het vervoer van de aan te schaffen vogels kan het beste gebruik gemaakt worden van een zogenaamd vervoerskistje. Dergelijke kistjes zijn er in verschillende groottes. Wanneer u een lange reis moet maken met de vogel(s) kunt u op de bodem

**Open nestmandje
van gaas**

Tralienestkastje

**Nestkastje voorzijde
open**

zaad strooien. In plaats van water legt u een (halve) geschilde appel op de bodem van het vervoerskistje. Zorg dat het vervoerskistje enigszins donker is. In een donkere omgeving zijn de vogels namelijk het rustigst.

Uitvangen van vogels

Voor het vangen van vogels kunt u het beste gebruik maken van een vangnet met korte steel. Zorg er hierbij voor dat de rand van het net is voorzien van schuimrubber. Dit voorkomt bij het 'mis slaan' verwondingen bij de vogel(s). Alvorens u een vogel uitvangt is het verstandig de zitstokken tijdelijk weg te nemen. Als er gebruik gemaakt is van zitstokhouders is dit een vrij eenvoudige handeling.

Nestkastjes en nestmateriaal

Bij nestkastjes heeft u de keus uit open of gesloten nestkastjes, nestkorfjes, mandjes en berkenblokken (voor parkietachtigen). Een open nestkastje kan bestaan uit een zogenaamd tralienestkastje of een nestkastje waarvan de voorzijde voor eenderde open is (zie foto).

Een gezelschapsvolière biedt echter nog veel meer mogelijkheden. In de volière kunnen de vogels namelijk ook een vrijstaand nest in bijvoorbeeld een conifeer, struik of klimplant bouwen. Verder kunt u ook bosjes gebundelde hei ophangen of takken van een coni-

feer. Er zijn veel vogels die hier graag gebruik van maken en dergelijke nestgelegenheden prefereren boven die van nestkastjes. Ook heide, bamboe en riet op de bodem van de buitenvolière wordt door sommige soorten graag benut als nestplaats.

Als nestmateriaal kunt u sisal, kokosvezel, katoendraad, hooi, mos en veertjes verstrekken. Door op een aantal geschikte (nest)plaatsen in de volière wat dor gras neer te leggen en hierin met de hand een rond gat te draaien kan de nestbouw gestimuleerd worden. Veelal zullen de vogels deze ruwe nesten namelijk zelf verder afbouwen.

Voor wat betreft de hoeveelheid nestkastjes dient u als vuistregel aan te houden dat er tweemaal zoveel nestgelegenheden als paartjes in de volière aanwezig moeten zijn. Hang de nestgelegenheden op verschillende hoogtes en minstens 75 centimeter uit elkaar. Vrije nesten, dus nesten die door de vogels zelf in de beplanting worden gebouwd, kunt u eventueel verstevigen met gaas en ijzerdraad. Als u merkt dat een bepaald type nestkastje de voorkeur geniet dan zult u, om ruzies te voorkomen, meerdere hiervan moeten ophangen.

Voer- en drinkbakjes

Het beste kunt u bakjes van metaal, hardplastic of aardewerk gebruiken om het voer in aan te bieden. Dergelijke bakjes zijn namelijk gemakkelijk schoon te maken. Zorg dat de bakjes aan de tralies kunnen worden opgehangen. Hang ze zo op dat ze gemakkelijk vanaf een zitstok voor de vogels zijn te bereiken. Gebruik altijd meerdere voerbakjes. Zo kunnen aparte bakjes gebruikt worden voor zaad en eivoer en andere om groenvoer of fruit en dergelijke in te doen. Groenvoer kan ook verstrekt worden door middel van aan het gaas bevestigde ruifjes. Naast losse voerbakjes zijn er ook zogenaamde draaibare voederplateaus in de handel. Deze kunnen bijvoorbeeld in de volièredeur worden gemonteerd. Door het plateau te draaien kunt u de voerbakjes zonder de deur te openen legen en opnieuw vullen.

Het drinkwater kunt u het beste aanbieden in zogenaamde drinkfonteintjes. Dit zijn langwerpige drinkglaasjes waarbij de onderzijde door de tralies kan worden gestoken. Een beugeltje dat eveneens aan de tralies kan worden bevestigd, zorgt ervoor dat het stevig op zijn plaats blijft zitten. Drinkfonteintjes dienen elke dag van schoon water te worden voorzien en minimaal één keer per week te worden ontsmet. De eenvoudigste manier van ontsmetten is om de drinkfonteintjes gedurende een

aantal dagen in een oplossing van bleekwater (volgens voorschrift) te leggen. Bovenstaande schoonmaakmethode betekent wel dat er meerdere drinkfonteintjes moeten worden aangeschaft zodat ze dan beurtelings kunnen worden gebruikt.

Badgelegenheid
De meeste volièrevogels nemen graag een bad. Dit baden heeft een duidelijk doel, namelijk het schoonmaken en in conditie houden van de bevedering. Het is daarom erg belangrijk dat de vogels in de gelegenheid worden gesteld om te baden. In een gezelschapsvolière kan dit het beste door een badschaal te plaatsen in de volière. De schaal kan het beste op een verhoging, bijvoorbeeld een stapeltje stenen, gezet worden. Gezonde vogels zullen al vrij snel de badschaal opzoeken en beginnen met baden. Het water raakt hierdoor snel vervuild, vooral ook omdat er vaak uitwerpselen van de vogels in het badwater terecht komen. Om te voorkomen dat de vogels verontreinigd badwater drinken is het daarom van belang het badwater niet langer dan twee uur in de volière te laten staan. Het spreekt voor zich dat tijdens vorst en kou geen badwater verstrekt moet worden. Haal ruim voor de vogels op stok gaan het badwater weg zodat de vogels niet nat gaan slapen.

Kanarie in bad

In dit hoofdstuk wordt uitgegaan van zaadetende vogels. Vogels die zich in hoofdzaak voeden met insecten, vruchten en nectar worden in dit boek buiten beschouwing gelaten.

Het met plezier houden van vogels valt en staat met een goede gezondheid van de vogels. Niets is immers vervelender dan zieke vogels in de volière. Iedere liefhebber zal dan ook op de hoogte moeten zijn van de eisen die aan een goede vogelvoeding worden gesteld. Het is immers de liefhebber die de keuze van de voeding maakt.

Bestanddelen voeding
Een goede voeding is niet alleen van belang voor de algemene gezondheid maar ook voor de groei, ontwikkeling en het prestatievermogen van uw vogels.

Een goede voeding is een menu waarin, in de juiste hoeveelheden en verhoudingen, alle stoffen voorkomen die het vogellichaam nodig heeft. Een aantal voedingsstoffen is daarin onontbeerlijk. Dit zijn eiwitten, vetten, koolhydraten, vitaminen, mineralen en water. Afhankelijk van de functie die voedingsstoffen in het vogellichaam vervullen, worden ze onderscheiden in bouwstoffen, brandstoffen en beschermende stoffen. Bouwstoffen zijn stoffen die de vogel nodig heeft voor de opbouw, wederopbouw en herstel van de weefsels en cellen van het lichaam. Van de voedingsstoffen worden de eiwitten, mineralen en water gerekend tot de bouwstoffen. Brandstoffen zijn stoffen die vogels onder andere nodig hebben voor het in stand houden van hun lichaamstemperatuur. Daarnaast leveren brandstoffen de energie die nodig is voor spierarbeid, bijvoorbeeld voor het vliegen. Van de voedingsstoffen worden de vetten, koolhydraten en eiwitten gerekend tot de brandstoffen. Beschermende stoffen zijn stoffen die ervoor zorgen dat alle lichaamsprocessen goed kunnen verlopen. Van de voedingsstoffen worden de vitaminen en mineralen gerekend tot de beschermende stoffen.

Eiwitten

Eiwitten behoren tot de bouwstoffen. Ze zijn zeer groot en opgebouwd uit een groot aantal kleine moleculen, de zogenaamde aminozuren. Door hun grootte moeten eiwitten, alvorens ze in het lichaam van een vogel kunnen worden opgenomen, afgebroken worden tot de al eerder genoemde aminozuren. Aminozuren kunnen namelijk wel direct in het vogellichaam worden opgenomen. Er zijn 29 verschillende soorten aminozuren bekend, waarmee een niet te tellen hoeveelheid eiwitten kunnen worden opgebouwd. Eén en ander is te vergelijken met de letters van het alfabet waarmee we immers een oneindig aantal woorden kunnen samenstellen. Nadat de eiwitten in het vogellichaam zijn afgebroken, worden ze dus ook

weer in het lichaam opgebouwd. Er zijn echter tien aminozuren die een vogel niet zelf kan maken of kan opbouwen. Deze noodzakelijke aminozuren worden de essentiële aminozuren genoemd. Een tijdelijk tekort aan één van deze aminozuren zal de vorming van lichaamseiwit doen stoppen. Een blijvend tekort zal uiteindelijk de dood van de vogel tot gevolg hebben. Deze essentiële aminozuren zullen dus in het voer aanwezig moeten zijn.

Zaadmengsels, hoe goed ook samengesteld, kunnen de behoefte aan essentiële aminozuren niet dekken. Daarnaast is uit onderzoek gebleken, dat de hoeveelheid eiwit in de voeding van volièrevogels rond de 20% behoort te zijn. Een mengsel van uitsluitend zaden bevat circa 15% eiwit, wat dus duidelijk onvoldoende is. Toevoeging van extra eiwitten is daarom noodzakelijk.

Dierlijke bronnen zijn rijker aan essentiële aminozuren dan plantaardige. Het is dus erg belangrijk dat uw vogels ook dierlijke eiwitten aangeboden krijgen. In hun natuurlijk leefmilieu, zo hebben onderzoekers vastgesteld, eten veel zaadetende vogels ook regelmatig insecten. Het dagelijks verstrekken van een goed krachtvoer, waarin de essentiële aminozuren in de juiste verhoudingen voorkomen, is een goede manier om aan de eiwitbehoefte tegemoet te komen.

Mineralen

Als tweede in de rij van bouwstoffen worden de mineralen behandeld. Mineralen komen in minimale hoeveelheden (sporenelementen) in het vogellichaam voor. Mineralen zijn betrokken bij verschillende levensprocessen van de vogels. Zo vormen ze bijvoorbeeld de bouwstenen voor verschillende enzymen en hormonen. Net als bij

de aminozuren zijn er mineralen die voor het leven van een vogel van essentieel (noodzakelijk) belang zijn. Ook hiervoor geldt dus dat een tijdelijk of blijvend tekort zal lijden tot ziekte en/of sterfte van de vogel.

De dosering van minerale sporen-elementen dient uiterst nauw-keurig te geschieden waarbij als regel geldt dat teveel even slecht is als te weinig. Over het alge-meen kan de mineralenbehoefte voldoende gedekt worden door het verstrekken van de in de dierenspeciaalzaak verkrijgbare vogelmineralen. Het is erg belang-rijk om de vogelmineralen los in een bakje te verstrekken en mini-maal eenmaal per week te 'ververesen'. Omdat de vogels slechts datgene opnemen wat ze nodig hebben, lijkt het vaak alsof er nog voldoende mineralen in het bakje aanwezig zijn. Dit is echter een misvatting: de meeste vogels zijn erg selectief in het zoeken van mineralen uit het bakje. Hierdoor kan het best zijn dat de mineralen die ze op dat moment nodig hebben, er in een eerder stadium al door hen zijn uitgehaald. Het kan dan ook niet voldoende benadrukt worden om vooral regelmatig (eens per week) nieuwe vogelmineralen te verstrekken. U kunt ook tweemaal per week vogelmineralen over het voer in de voerbak strooien zodat u zeker weet dat uw vogels de benodigde hoeveelheid opnemen.

Naast het verstrekken van vogel-mineralen blijft het ook belangrijk om natuurlijke producten te ver-strekken die redelijke hoeveelhe-den mineralen bevatten.
Voorbeelden hiervan zijn: boeren-kool, andijvie, melkpoeder (kan bij-voorbeeld door het krachtvoer worden gemengd), eigeel, tarwe, sepia en grit. Aan kant-en-klare krachtvoeders zijn in de meeste gevallen mineralen toegevoegd. Veelal staat dit aangegeven op de verpakking.

Water

Derde in de rij van bouwstoffen is water. Water is bijzonder belangrijk voor vogels. Zo bevatten bloed en spieren van vogels respectievelijk 95% en 70-80% water. Iedere keer als voedingsstoffen van of naar een lichaamscel vervoerd worden, is water het vervoermiddel.

In bijna alle voedingsmiddelen is water aanwezig. Bij verbranding van voedingsstoffen ontstaan, naast het vrijkomen van energie, de verbrandingsproducten water en koolzuur. Het vrijgekomen water is echter ontoereikend voor de totale waterbehoefte van vogels. Extra water zal dan ook in de vorm van drinkwater moeten worden opgenomen. Het drinkwater dat u verstrekt mag niet te koud zijn. De drinkbakjes moeten in ieder geval eenmaal per week grondig schoongemaakt worden en het water dient dagelijks helemaal ververst te worden. Verontreinigd water is namelijk één van de belangrijkste veroorzakers van darminfecties bij vogels.

Vetten

Het lichaam van een vogel heeft naast bouwstoffen ook brandstoffen nodig. In dat opzicht spelen de vetten een belangrijke rol. Brandstoffen zijn onder andere nodig voor het op peil houden van de lichaamstemperatuur (42 °C) en voor het leveren van spierarbeid.

De vetten kunnen op grond van hun bouw onderscheiden worden in verzadigde en onverzadigde vetzuren. De verzadigde vetzuren worden op hun beurt weer verdeeld in vetzuren met lange koolstofketens en vetzuren met kortere koolstofketens. De onverzadigde vetzuren worden verdeeld in enkelvoudige onverzadigde vetzuren en meervoudige onverzadigde vetzuren.

Evenals bij de aminozuren en mineralen waarvan sommige essentieel (noodzakelijk) zijn, zijn ook de meervoudige onverzadigde vetzuren essentieel voor het vogellichaam. De drie belangrijkste meervoudige vetzuren zijn: linolzuur, linoleenzuur en arachidonzuur.

Te veel vet in de voeding van volièrevogels kan schadelijk zijn. Vet remt namelijk de maagsapafscheiding, waardoor het voedsel langer in de maag blijft. Dit veroorzaakt een verzadigingsgevoel bij de vogel met het gevolg dat geen ander voedsel meer wordt opgenomen. Tekorten aan levensnoodzakelijke stoffen zullen hier uiteindelijk het gevolg van kunnen zijn. Verstrek dus nooit meer vet dan strikt noodzakelijk is.

Koolhydraten

Naast de vetten zijn het vooral de koolhydraten die dienst doen als energiebron. De koolhydraten in de voeding van de valkparkiet zijn in hoofdzaak afkomstig van planten. De voor de voeding belangrijkste koolhydraten worden onderscheiden in de volgende groepen: monosacchariden, disachariden en polysachariden.

Monosacchariden, zoals glucose en fructose, zijn enkelvoudige suikers, die zo in het vogellichaam kunnen worden opgenomen. Dit geldt niet voor meervoudige suikers als disachariden en polysachariden. Meervoudige suikers moeten, alvorens ze in het vogellichaam kunnen worden opgenomen, eerst onder invloed van enzymen gesplitst worden tot enkelvoudige suikers.

Vogels moeten voldoende hoeveelheden koolhydraten via de voeding binnen krijgen. Zaden, vruchten en groenvoer bevatten in voldoende mate koolhydraten, deze dienen daarom dagelijks verstrekt te worden. Naast het feit dat eiwitten gerekend worden tot de bouwstoffen spelen ze ook een rol bij de energiebehoefte van vogels. Dit is de reden waarom de eiwitten ook tot de brandstoffen worden gerekend.

Vitaminen
Na de groepen bouw- en brandstoffen blijft de groep van beschermende stoffen over. Naast de mineralen, die gerekend worden tot de groep van beschermende stoffen, zijn het vooral de vitaminen die een essentiële (levensnoodzakelijke) rol spelen bij het gezond blijven van vogels.

Vitaminen maken veelal onderdeel uit van het natuurlijke voedsel. Iedere vitamine heeft bij de lichaamsprocessen in het vogellichaam een specifieke taak. Evenals een tekort kan ook een teveel aan vitaminen in de vogelvoeding schadelijk zijn en afwijkingen veroorzaken. Indien de vogel een gevarieerd menu aangeboden krijgt, zal een vitaminetekort niet snel optreden. Evenals bij de mineralen is bij het verstrekken van vitaminen een goede onderlinge verhouding van belang. De volgende producten zijn onder andere rijk aan één of meerdere vitaminen: melk, melkpoeder, bruinbrood gedoopt in melk, eidooier, gekiemde zaden, granen, zaden, sojameel, groenten en vruchten.

Het zal duidelijk zijn dat het zelf samenstellen van een juiste voeding voor volièrevogels de nodige zorg vereist. Vogelzaden zijn niet even rijk aan eiwitten, vetten, koolhydraten, mineralen en vitaminen. Door verschillende soorten zaden te mengen kan een voer verkregen worden dat genoemde bestanddelen zoveel mogelijk in goede verhoudingen bevat. Geen enkel zaadmengsel is echter in staat om de totale behoefte aan aminozuren, mineralen, vitaminen en essentiële vetzuren van de volièrevogels te dekken. Aan vogels in gevangenschap zullen dan ook extra aminozuren, mineralen, vitaminen en essentiële vetzuren verstrekt moeten worden. Voor wat betreft de vetzuren zou dit bijvoorbeeld kunnen door het verstrekken van verse groenten. Mineralen kunnen worden gegeven in de vorm van grit en sepia evenals in de vorm van specifiek in de handel verkrijgbare vogelmineralen.

Ook zijn aan de meeste eivoeders mineralen toegevoegd. Mineralen in de vorm van grit en/of vogelmineralen dienen minimaal eenmaal per week te worden ververst (ook al lijkt er nog voldoende in het bakje te zitten). Vitaminen worden verstrekt via het eivoer. In de praktijk zijn namelijk aan de meeste krachtvoeders vaak al de meest essentiële vitaminen toegevoegd zodat het toevoegen van vitaminen middels een vitaminepreparaat niet nodig is. Omdat een zaadmengsel de behoefte aan aminozuren, mineralen, vitaminen en vetzuren niet kan dekken is het verstrekken van o.a. een krachtvoeder/eivoeder, waaraan deze voedingsstoffen zijn toegevoegd, noodzakelijk.

Menu

Als de eisen die aan een goede vogelvoeding worden gesteld naar een praktische voeding worden vertaald dan zou als basisvoeding aan volièrevogels een goede zaadmengeling en een goed samengesteld eivoer/krachtvoer verstrekt moeten worden. Naast deze basisvoeding dienen dagelijks afwisselend kleine stukjes fruit en groente gegeven te worden. Naast bovenstaande voeding is het noodzakelijk dat de vogels dagelijks de beschikking hebben over vers en fris drinkwater en mogen ook vogelmineralen (grit) en maagkiezel zeker niet ontbreken. Als u uw volièrevogels eens iets extra's wilt geven, verwen ze dan eens met wat trosgierst. Trosgierst is licht verteerbaar en is bij veel volièrevogels zeer geliefd.

Pelletvoeding
De afgelopen jaren hebben Amerikaanse vogelvoerdeskundigen in samenwerking met biologen en ervaren aviculturisten de zogenaamde pellets ontwikkeld. Pellets zijn korrels of kruimels waarin alle voedingsstoffen zijn samengebracht die van belang zijn voor (een bepaalde soort) vogels. De commerciële fabrikanten maakten de pellets aanvankelijk alleen voor papegaaien en grote parkieten omdat deze vogels in Amerika altijd (financieel) veel populairder zijn geweest dan de overige soorten kooi- en volièrevogels.

Het verstrekken van pellets aan vogels staat in ons land nog in de kinderschoenen en er is dan ook bij veel vogelliefhebbers nog relatief weinig over bekend. Toch komen er jaarlijks nieuwe en verbeterde producten op de markt zodat verwacht mag worden dat in de nabije toekomst ook in ons land steeds meer vogelliefhebbers zullen overgaan op het voeren van pellets aan hun vogels. Het grote voordeel van pellets mag duidelijk zijn: als de vogels eenmaal op pallets overgeschakeld zijn, is de verzorger ervan verzekerd dat zijn vogel alle benodigde voedingsstoffen krijgt die noodzakelijk zijn voor een goede gezondheid.

Het kiemen van zaden
Gekiemde zaden zijn onder andere rijk aan essentiële vetzuren, licht verteerbare koolhydraten en vitaminen (vooral B vitaminen). Het verstrekken van gekiemde zaden is daarom sterk aan te bevelen. Daarnaast zijn de meeste volièrevogels verzot op gekiemde zaden. Bij het zelf samenstellen van kiemzaad is het van belang, dat zaden gekozen worden met een bijna gelijke kiemsnelheid.

Onderstaande zaden hebben ongeveer een gelijke kiemsnelheid:
- vishennep
- rode dari
- witte dari
- raapzaad
- radijszaad
- zwart slazaad
- kadjang idjoe.

De meeste voedingswaarde wordt verkregen uit zaad met kiemen van één à twee millimeter lengte. Zeef en pannetje na gebruik goed schoonmaken, zodat een nieuwe portie kiemzaad ingezet kan worden.
Door gebruik te maken van meerdere zeven kan elke dag over gekiemd zaad beschikt worden.

Voeding in de praktijk

Als u de eisen die aan een goede vogelvoeding worden gesteld vertaalt naar de praktijk dan zou u als basisvoeding voor uw volièrevogels een goede zaadmengeling voor tropische vogels en/of volièrevogels moeten nemen. Dit moet u aanvullen met een goed samengesteld eivoer/krachtvoer en kiemzaad.

Naast deze basis dient u dagelijks het menu af te wisselen met vruchten, groenten en insecten/universeelvoer. Vooral in de periode dat de vogels jongen grootbrengen, is het belangrijk dat ze de beschikking hebben over dierlijke eiwitten. Extra dierlijke eiwitten kunnen, naast het verstrekken van een goed samengesteld eivoer, verstrekt worden in de vorm van bijvoorbeeld meelwormen. Wees bij het aanbieden van dierlijke eiwitten wel voorzichtig omdat de vogels bij teveel dierlijke eiwitten vaak de jongen in de steek laten en met een volgend legsel beginnen. Bij een tekort aan dierlijke eiwitten voeden de vogels hun

Werkwijze

- Doe het kiemzaad in een roestvrij stalen zeef en hang de zeef in een pannetje met ruim lauw water.
- Laat het kiemzaad vervolgens circa achttien uur weken. Na het weekproces dient het kiemzaad meerdere malen in stromend water te worden afgespoeld.
- Na het spoelen de zeef met inhoud in het (lege) pannetje hangen. De zeef dient vrij van de bodem te hangen, zodat het overtollige water er uit kan lekken.
- De zeef vervolgens afdekken met een vochtige doek en op een matig warme plaats neerzetten. Om alcoholische gisting te voorkomen dient het zaad tussendoor nog een keer goed gespoeld en omgeschud te worden.
- De kiemen verschijnen na ongeveer 24 uur.

jongen vaak onvoldoende en soms laten ze ze uiteindelijk zelfs in de steek.

Aanvullingen
Naast bovenstaand menu is het noodzakelijk dat de vogels dagelijks de beschikking hebben over schoon bad- en drinkwater en mogen ook vogelmineralen (grit) en maagkiezel niet ontbreken. Maagkiezel is erg belangrijk voor een goede spijsvertering van vogels. In de vogelmaag wordt het geweekte voedsel namelijk verkleind en gemalen. In de spiermaag moeten hiertoe steeds scherpe maagkiezeltjes aanwezig zijn, die door hun onregelmatige vorm en door de uitzettende en samentrekkende bewegingen van de spiermaag de geweekte zaden malen. Het oppervlak van elk zaadje wordt door deze bewerking enorm vergroot waardoor de enzymen in de verteringssappen er nog intensiever op in kunnen werken. Door de uitzettende en samentrekkende bewegingen van de spiermaag worden ook de scherpste kiezeltjes op den duur rondgeslepen. Als dit het geval is verlaten zij het vogellichaam en moet de vogel nieuwe scherpe kiezel kunnen opnemen.

Let wel, grit heeft niets met scherpe kiezel te maken. Grit wordt zelf vermalen en opgelost. Door grit op te nemen komt de vogel tegemoet aan zijn mineralen behoefte. Kiezel is echter totaal onverteerbaar en heeft geen enkele

voedende waarde. Scherpe kiezel dient alleen als maalsteen en moet dus ook steeds voor uw volièrevogels beschikbaar zijn.

Als laatste nog een tip. Ga in de zomer eens op zoek naar (onbespoten) gras- en onkruidzaden. Deze kunt u met een heggenschaar knippen en in grote bossen in uw volière ophangen. Naast het feit ze erg gezond zijn, is het een genot om te zien hoeveel plezier u uw volièrevogels hiermee doet.

Gouldamadines met grit

Mozambiquesijs
(Serinus mozambicus)

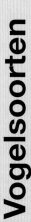

Vogelsoorten

Het is onmogelijk om alle soorten vogels te noemen en beschrijven die geschikt zijn voor een gezelschapsvolière. In dit boek is gekozen om een aantal gemakkelijk te houden vogelsoorten te beschrijven.

Bij de selectie van de hier genoemde vogelsoorten is rekening gehouden met hun voedingsbehoeften. De betreffende soorten kunnen allemaal gevoed worden met een menu zoals beschreven is in het hoofdstuk *Voeding*. Indien een bepaalde soort in de winter een verwarmd binnenverblijf nodig heeft wordt dit apart aangegeven.

Mozambiquesijs *(Serinus mozambicus)*
Grootte: 12,5 cm.

Uiterlijk: Zie foto.
Geslachtsonderscheid: De popjes zijn wat matter van kleur en hebben een ringetje van zwarte vlekjes rond de hals.
Verspreiding: Afrika, ten zuiden van de Sahara.
Woongebied: Bebost gebied, maar ook in tuinen en parken.
Omgevingstemperatuur: Ze kunnen in een volière met een vorst- en tochtvrij nachtverblijf overwinteren.
Bijzonderheden: Het zijn gemakkelijk te verzorgen vogels. Het mannetje zingt tijdens het broedseizoen. De vogels komen het best tot hun recht in een grote, goed beplante volière. Niet meer dan één paartje per gezelschapsvolière. Het baltsgedrag van het mannetje is over het algemeen erg ruw en kost het popje vaak de

nodige veren. Ze bouwen een komvormig nest of maken gebruik van een halfopen nestkastje. Het popje legt drie tot vier lichtblauwe eitjes die alleen zij bebroedt. De broedduur bedraagt dertien tot veertien dagen. Niet samen houden met edelzangers (*Serinus leucopygius*). Deze vogelsoorten verdragen elkaar niet.

door haar worden bebroed. De broedduur bedraagt dertien dagen. De jongen vliegen na ongeveer drie weken uit.

Kleurkanarie

Kleurkanarie
Grootte: 14 cm.
Uiterlijk: Zie foto.
Geslachtsonderscheid: Mannen en poppen zijn niet op basis van uiterlijk van elkaar te onderscheiden. Mannen zijn te herkennen aan de zang. Popjes zingen niet.
Verspreiding en woongebied: Deze vogels komen in het wild niet voor.
Omgevingstemperatuur: Ze kunnen in een volière met een vorst- en tochtvrij nachtverblijf overwinteren.
Bijzonderheden: De gedomesticeerde kanarie komt niet in de vrije natuur voor want ze zijn ontstaan uit kruisingen tussen de wilde kanaries en andere vinken. Door selectieve kweek is een groot aantal kanarierassen gekweekt, waaronder de kleurkanarie. In een gezelschapsvolière is het belangrijk ervoor te zorgen dat er meer popjes rondvliegen dan mannen. Twee mannen in de volière zullen snel tot gevechten overgaan die tot bloedens toe door kunnen gaan. Het popje legt gemiddeld vier eitjes, die alleen

Bandvink:
links pop,
rechts man

Bandvink *(Amadina fasciata)*
Grootte: 12 - 13 cm.
Uiterlijk: Zie foto.
Geslachtsonderscheid: Het popje mist de rode keelband en is lichter van kleur dan het mannetje.
Verspreiding: Afrika, ten zuiden van de Sahara.
Woongebied: Struikgewas en savannes. Vertoeven ook graag in de nabijheid van dorpen.
Omgevingstemperatuur: Ze kunnen in een volière met een vorst- en tochtvrij nachtverblijf overwinteren.
Bijzonderheden: Het zijn gemakkelijk te verzorgen vogels. Ze gaan over het algemeen gemakkelijk tot broeden over. Ze kunnen lastig zijn tegen andere soorten in de volière. Ze stelen namelijk nestmateriaal uit nesten van andere vogels, zelfs als deze eitjes en/of jongen hebben. Ze maken graag gebruik van halfopen nestkastjes. Het popje legt vier tot negen eitjes. Ze worden door beide geslachten bebroed. De broedduur bedraagt twaalf dagen. De jongen zijn na ongeveer twintig dagen zelfstandig.

Oranjekaakje
(Estrilda melpoda)

Grootte: 10 cm.

Uiterlijk: Zie foto.

Geslachtsonderscheid: Het onderscheid tussen beide seksen is moeilijk. Het popje is veelal iets matter van kleur en soms zijn de wangen van het popje wat kleiner. Omdat alleen het mannetje baltst en zingt is dit de beste manier de seksen te onderscheiden.

Verspreiding: West- en Midden-Afrika.

Woongebied: Overwegend graslanden.

Omgevingstemperatuur: Ze kunnen in een volière met een vorst- en tochtvrij nachtverblijf overwinteren.

Bijzonderheden: Het zijn zeer geschikte vogels voor de gezelschapsvolière. In goed beplante volières willen ze wel overgaan tot broeden. Broeden doen ze in struiken op een hoogte van circa 1.50 meter. Indien ze gebruik maken van nestkastjes zijn dit meestal halfopen nestkastjes. Het popje legt meestal drie tot vier eitjes maar grotere legsels komen voor. De broedduur bedraagt elf à twaalf dagen. De eitjes worden door beide vogels bebroed. De jongen verlaten na ongeveer twee weken het nest. Voor het grootbrengen van de jongen zijn volop dierlijke eiwitten nodig (universeelvoer, eivoer, bladluizen, kleine meelwormen, mierenpoppen, buffalo wormpjes en dergelijke).

Napoleonnetje
(Estrilda troglodytes)

Grootte: 10 cm.

Uiterlijk: Zie foto.

Geslachtsonderscheid: Buiten het broedseizoen is het onderscheid erg moeilijk te zien. Tijdens het broedseizoen is het rood in de bevedering van het mannetje intenser van kleur.

Verspreiding: Senegal tot Soedan en noordelijk Ethiopië.

Woongebied: Zowel droge gebieden als moerasgebied.

Omgevingstemperatuur: In de winter moeten de vogels binnenshuis worden gehouden bij een temperatuur die altijd boven 10 °C ligt.

Bijzonderheden: Dit zijn vrij drukke vogeltjes. Ze brengen een schril gezang ten gehoor. Het mannetje houdt tijdens de balts een grassprietje of iets dergelijks in de snavel en danst dan rond het popje. Ze nestelen het liefst op een verborgen plek in de volière. Het is daarom raadzaam wat gesloten nestkastjes op verborgen plaatsen in de volière aan te brengen. Beide vogels broeden. Het popje legt drie tot vijf eitjes. De broedduur bedraagt elf à twaalf dagen. De jongen vliegen na ongeveer twee weken uit.

Goudbuikje
(Amandava subflava)

Grootte: 9 cm.
Uiterlijk: Zie foto.
Geslachtsonderscheid: Het vrouwtje is minder sprekend van kleur en heeft geen rode wenkbrauwstreep.
Verspreiding: Afrika ten zuiden van de Sahara, behalve in het uiterste zuiden.
Woongebied: Graslanden en cultuurgebieden.
Omgevingstemperatuur: In de winter moeten goudbuikjes in een verwarmd binnenverblijf (circa 15 °C) worden gehuisvest.
Bijzonderheden: Het zijn

prachtige en gemakkelijk te houden vogeltjes. Ze gaan in een volière moeilijk over tot broeden. Als er al eitjes worden gelegd, zijn ze meestal onbevrucht. De broedduur is ongeveer twaalf dagen.

Rijstvogel *(Padda oryzivora)*
Grootte: 14 cm.
Uiterlijk: Zie foto.
Geslachtsonderscheid: Het popje is iets kleiner en heeft een smallere kruin dan het mannetje. Ook wordt haar snavel wat egaler naar de punt toe.
Verspreiding: Java, Bali en diverse naburige eilanden.
Woongebied: Ze komen in grote zwermen voor in rijst- en bamboevelden.
Omgevingstemperatuur: Ze kunnen in een volière met een vorst- en tochtvrij nachtverblijf overwinteren.

Bijzonderheden: Een zeer populaire volièrevogel, waarvan al verschillende mutaties bestaan. Zo zijn er naast de wildvorm onder andere ook witte, bruine en bonte rijstvogels. Ze broeden graag in half-open nestkastjes met een afmeting van 30 x 25 x 25 cm. Een goed paartje broedt vrijwel het gehele jaar door. Dit moet u verhinderen omdat anders het popje uiteindelijk zal bezwijken aan legnood. Meer dan drie legsels per jaar moeten niet worden toegelaten. Broedduur is twaalf tot vijftien dagen.

Japans meeuwtje *(Lonchura stratia var. domestica)*
Grootte: 12 à 13 cm.
Uiterlijk: Zie foto.
Geslachtsonderscheid: Er is geen uiterlijk verschil tussen het mannetje en het popje. Omdat alleen het mannetje zingt en baltst, is dit de beste manier om de seksen te onderscheiden.
Verspreiding en woongebied: Komen in het wild niet voor.
Omgevingstemperatuur: Ze kunnen in een volière met een vorst- en tochtvrij nachtverblijf overwinteren.
Bijzonderheden: Het Japans meeuwtje is ontstaan uit de kruising spitsstaart bronzemannetje *(Lonchura striata swinhoei)* x gestreepte bronzemannetje *(Lonchura striata striata).* Japanse meeuwtjes zijn zeer geschikt om in een gezelschapsvolière te houden. Het is mogelijk meerdere paartjes bij elkaar te plaatsen. Ze broeden graag in halfopen nestkastjes met een grootte van 25 x 25 x 25 cm. Laat niet meer dan drie broedsels per jaar grootbrengen en voorkom broeden in de winter. Het legsel bestaat meestal uit vier tot zeven eitjes. Ze worden door beide vogels gedurende circa achttien dagen bebroed. De jongen verlaten na ongeveer drie weken het nest. Een zeer gunstige eigenschap van Japanse meeuwtjes is dat ze vrij gemakkelijk de jongen van andere soorten (van ongeveer gelijke grootte) grootbrengen.

Witkopnon _(Lonchura maja)_
Grootte: 12 cm.
Uiterlijk: Zie foto.
Geslachtsonderscheid: De kop van het mannetje is meestal lichter (wit) van kleur dan die van het popje.
Verspreiding: Maleisië, Indonesië.
Woongebied: Overwegend graslanden.
Omgevingstemperatuur: Ze kunnen in een volière met een vorst- en tochtvrij nachtverblijf overwinteren.
Bijzonderheden: Het zijn vrij rustige volièrevogels die het best tot hun recht komen in een rustige en goed beplante volière. Er worden vier tot zes eitjes gelegd, die gedurende twaalf dagen worden bebroed. De jongen vliegen na ongeveer vijfentwintig dagen uit. Witkopnonnen moeten, net als trouwens alle Lonchura soorten, elke dag de beschikking hebben over schoon badwater. De nagels van deze vogels worden snel te lang en moeten daarom tussendoor door de verzorger worden geknipt.

Ceresamadine (*Aidemosyne (Poephila) modesta*)
Grootte: 10 cm.
Uiterlijk: Zie foto.
Geslachtsonderscheid: In tegenstelling tot de pop heeft de man een purperrood voorhoofd en een zwarte keelvlek. Beide geslachten zijn hierdoor goed van elkaar te onderscheiden. Een ander geslachtsonderscheid is dat het mannetje een zacht en kort melodieus liedje ten gehore kan brengen, iets waartoe het popje niet in staat is.
Verspreiding: Delen van Queensland (Australië) en New South Wales.

Woongebied: Graslanden, struikgewas, parken en tuinen.
Omgevingstemperatuur: Ze kunnen in een volière met een vorst- en tochtvrij nachtverblijf overwinteren.
Bijzonderheden: Het zijn levendige en vriendelijke volièrevogels. Ze komen het beste tot hun recht in een ruime, goed beplante volière. Het popje legt vier tot zes eitjes. Veelal bouwen ze het nest dicht bij de grond. Ook halfopen nestkastjes worden wel door de vogels geaccepteerd. De broedduur bedraagt twaalf dagen.

Zebravink (*Taeniopygia (Poephila) guttata*)

Grootte: 10 cm.
Uiterlijk: zie foto.
Geslachtsonderscheid: De mannetjes bezitten een oranjebruine wangvlek die bij de popjes ontbreekt. Bij witte zebravinken is het verschil tussen het mannetje en het popje te zien aan de snavel: de snavel van het mannetje is bloedrood, terwijl dat van het popje veel lichter rood van kleur is.
Verspreiding: Australië.
Woongebied: Open beboste gebieden en graslanden.
Omgevingstemperatuur: Ze kunnen in een volière met een vorst- en tochtvrij nachtverblijf overwinteren.
Bijzonderheden: Het zijn levendige en vrij brutale volièrevogels. Ze broeden in vrijwel elk aangeboden nestkastje. Een goed paartje wil het hele jaar door broeden. Toch moet u niet toestaan dat de vogels meer dan drie broedsels per jaar grootbrengen. Hun vrijstaande nest is flesvormig, met een ingangstunnel. Zebravinken kunnen lastig zijn tegen andere soorten in de volière. Ze stelen namelijk nestmateriaal uit nesten van andere vogels, ook al hebben deze eieren en/of jongen. Bij de zebravinken is inmiddels een groot aantal mutaties gekweekt. Naast de grijze wildkleur bestaan de volgende mutaties: bruin, bleekrug, masker, wit, bont en getekend, zwartborst, oranjeborst, blackface, zwartwang, pastel, witborst, wang, isabel, agaat, gekuifd en geelsnavel. Al deze mutaties zijn onderling weer te combineren per twee, drie, vier enzovoort.

Gouldamadine
(Chloebia gouldiae)

Grootte: 14 cm.

Uiterlijk: zie foto.

Geslachtsonderscheid: Het popje is wat matter van kleur en haar snavel wordt donkergrijs van kleur als ze in broedconditie is. De snavelpunt van de man wordt daarentegen rood.

Verspreiding: Noord-Australië.

Woongebied: Grasvlakten met bomen, maar ook in struikgewas en in mangrovemoerassen.

Omgevingstemperatuur: Mits geacclimatiseerd kunnen ze in een volière met een vorst- en tochtvrij nachtverblijf overwinteren. De ideale temperatuur voor deze vogels ligt echter tussen de 15 en 25 °C. Beter is het dus om de vogels in de winter in een verwarmd verblijf te laten overwinteren.

Bijzonderheden: Het zijn echte gezelschapsvogels. Van deze soort kunt u meerdere paartjes in één volière houden. Het popje legt vier tot zes eitjes. Als nestplaats maken ze graag gebruik van halfopen nestkastjes. De broedduur bedraagt ongeveer vertien dagen. De jongen vliegen na ruim drie weken uit. Jonge vogels zijn vaak pas op een leeftijd van vier tot vijf maanden op kleur.

Diamantvink
(Steganoplura guttata)
Grootte: 12 cm.

Uiterlijk: Zie foto.

Geslachtsonderscheid: Er is geen uiterlijk verschil tussen het mannetje en het popje. Omdat alleen het mannetje zingt en baltst, is dit de beste manier de seksen te onderscheiden.

Verspreiding: Zuidelijk Queensland (Australië), oostelijk New South Wales tot Victoria en oostelijk Zuid-Australië.

Woongebied: Grasland, bebost gebied, parken en tuinen.

Omgevingstemperatuur: Ze kunnen in een volière met een vorst- en tochtvrij nachtverblijf overwinteren.

Bijzonderheden: Sterke en brutale volièrevogels. Het zijn vrij actieve vogels waarvan er niet meer dan één paartje in een gezelschapsvolière moeten worden geplaatst. Als nestplaats maken ze graag gebruik van halfopen nestkastjes. Ze verstoren regelmatig het broedproces bij andere vogels door hun nesten in beslag te nemen. Vaak gaan ze wel over tot nestbouw en het leggen van eieren, maar worden de jongen niet grootgebracht. Het popje legt vier tot zes eieren die door beide vogels worden bebroed. De broedduur bedraagt twaalf tot veertien dagen.

Oranjewever
(Euplectes orix franciscana)
Grootte: 15 - 17 cm.
Uiterlijk: Zie foto.
Geslachtsonderscheid: Man en pop verschillen duidelijk van uiterlijk.
Verspreiding: Afrika, van Senegal tot Soedan, Angola en Zimbabwe.
Woongebied: Graslanden met waterlopen.
Omgevingstemperatuur: Ze kunnen in een volière met een vorst- en tochtvrij nachtverblijf overwinteren.
Bijzonderheden: Ze bouwen hun nest graag tegen het gaas van de volière. Deze vogels willen nog wel eens agressief zijn naar andere vogelsoorten. Het popje legt gemiddeld vier eitjes die alleen door haar worden bebroed. De broedduur bedraagt ongeveer veertien dagen. De jongen verlaten na circa drie weken het nest.

Oranjewever man

Pop en man

Goudmus *(Passer luteus)*
Grootte: 14 cm.
Kenmerken: Zie foto.
Geslachtsonderscheid: Er is
een duidelijk uiterlijk verschil tussen beide seksen. Het popje is
bleekbruin met gelige delen in het
verenkleed.
Verspreiding: Noordoost-Afrika.
Woongebied: Open landschap.
Omgevingstemperatuur: Ze
kunnen in een volière met een
vorst- en tochtvrij nachtverblijf
overwinteren.
Bijzonderheden: Het zijn prima
volièrevogels, waarvan meerdere

paartjes in de volière gehouden
kunnen worden. Ze zijn over het
algemeen zeer verdraagzaam naar
andere soorten. In een gezelschapsvolière bouwen ze hun
komvormige nest graag in struiken. Ook halfopen nestkastjes
worden geaccepteerd. Het popje
legt gemiddeld vier groenachtig
wit gevlekte eitjes. De broedduur
ligt tussen tien en dertien dagen.
De eitjes worden alleen door het
popje bebroed. De jongen verlaten op een leeftijd van twee
weken het nest.

Diamantduif
(Geopelia cuneata)

Grootte: 19 cm.

Uiterlijk: Zie foto.

Geslachtsonderscheid: Het verenkleed van het popje is meestal bruiner van kleur. In broedconditie is de oogring van de man intenser rood dan die van het popje.

Verspreiding: Australië.

Woongebied: Open beboste gebieden en doornig struikgewas.

Omgevingstemperatuur: Ze kunnen in een volière met een vorst- en tochtvrij nachtverblijf overwinteren.

Bijzonderheden: Het zijn gemakkelijke en vredelievende volièrevogels. Plaats niet meer dan één paartje in de gezelschapsvolière. Het aantal broedsels moet beperkt gehouden worden tot drie à vier per jaar. Ze houden van een zonnige volière. De eigen nestbouw van de vogels stelt niet veel voor. Ze accepteren gemakkelijk een komvormig nestkastje. Het popje legt twee eitjes die door beide vogels worden uitgebroed. De broedduur bedraagt ongeveer dertien dagen. De jongen verlaten het nest na tien dagen. De jongen zijn na twee maanden niet meer te onderscheiden van de ouders.

**Chinese dwergkwartel
(Excalfactoria chinensis)**
Grootte: 11 tot 13 cm.
Uiterlijk: Zie foto.
Geslachtsonderscheid: Het hennetje mist de witte en zwarte vlekken evenals de grijsblauwe kleur op de borst en flanken.
Verspreiding: Van India, Sri Lanka, China, Sulawesi en de Molukken tot in Australië.
Woongebied: Grasland en moerassen.
Omgevingstemperatuur: Ze kunnen in een volière met een vorst- en tochtvrij nachtverblijf overwinteren.
Bijzonderheden: Het zijn vrij gemakkelijk te houden volièrevogels. Houd echter nooit meer dan één haantje in de volière. Meerdere hennen bij één haantje is wel mogelijk. Ze bouwen hun nesten op de grond, op een beschutte plaats. Het hennetje legt vier tot zes gevlekte olijfgroene eitjes. De broedduur bedraagt circa zestien dagen. De jongen zijn net zo groot als kleine hommels en kruipen gemakkelijk door het gaas naar buiten. De haan valt de hen vaak lastig; daarom is het aan te raden meerdere hennen bij één haan te plaatsen. Indien dit niet helpt zal de haan tijdelijk uit de volière moeten worden verwijderd. De jonge kwartels zijn op een leeftijd van twee maanden zelfstandig en moeten dan bij de ouders weggenomen worden.

Bourkes parkiet
(Neophema bourkii)

Grootte: 21 cm.
Uiterlijk: Zie foto.
Geslachtsonderscheid: Het popje heeft een wat rondere kop en mist het uitgebreide blauw boven de snavel wat de man wel heeft.
Verspreiding: New South Wales, Centraal-Australië en het westelijk deel van Australië.
Woongebied: Open steppen, die met acacia's en andere struiken zijn begroeid, waarvan ze de zaden eten.
Omgevingstemperatuur: Ze kunnen in een volière met een vorst- en tochtvrij nachtverblijf overwinteren.
Bijzonderheden: Bourkes parkieten zijn het actiefst tegen de avond. Het is één van de weinige parkietensoorten die in een gezelschapsvolière met kleine tropische vogels kan worden gehouden. Ze broeden in nestkastjes met een afmeting van 45 x 15 x15 cm. Leg vochtig turfmolm en/of houtspaanders vermengd met potgrond op de bodem van het broedkastje. Het popje legt meestal vier tot zes eitjes, die alleen door haar worden uitgebroed. De broedduur bedraagt ongeveer achttien dagen. De jongen vliegen na vier weken uit en zijn dan erg wild. Het is daarom aan te bevelen om tegen die tijd groene takken in het gaas te steken zodat ze zich niet zo snel verwonden aan het gaas.

Praktische vinkenwijzer

In het boek *"de Praktische vinkenwijzer"*, eveneens verschenen in de Over Dieren serie wordt ook een groot aantal vogelsoorten beschreven die geschikt zijn voor een gezelschapsvolière.
ISBN 90-5821-248-3

Elegantparkiet
(Neophema elegans)
Grootte: 22 cm.
Uiterlijk: Zie foto.
Geslachtsonderscheid: Popjes zijn matter geel van kleur dan de mannetjes. Verder zijn de slagpennen bij het popje bruin terwijl deze bij het mannetje zwart zijn. Verspreiding: Zuidelijk deel van New South Wales, westelijk Victoria, Zuid-Australië en ook in het zuidwesten.
Woongebied: Bosrijke streken, graslanden en landbouwgebieden. Ze vertoeven graag in de nabijheid van menselijke bewoning.
Omgevingstemperatuur: Ze kunnen in een volière met een vorst- en tochtvrij nachtverblijf overwinteren.
Bijzonderheden: Ook de elegantparkiet komt in aanmerking voor een gezelschapsvolière met kleine tropische vogels. Ze kunnen echter niet met andere Neophema soorten, zoals turquoisineparkiet, splendidparkiet, Bourkes parkiet in één volière worden gehouden. Dit leidt onherroepelijk tot ruzies. Ze verlangen een nestkastje met een afmeting van ongeveer 20 x 20 x 45 cm. Het popje legt gemiddeld vier eitjes die gedurende achttien dagen worden bebroed. Na vier weken vliegen de jongen uit en worden dan nog ongeveer twee weken door de oudervogels gevoerd.

Grasparkiet
(Melopsittacus undulatus)
Grootte: 18 cm, afhankelijk van de kweekvorm.
Uiterlijk: Zie foto.
Geslachtsonderscheid:
Volwassen mannetjes zijn herkenbaar aan de blauwe washuid boven de snavel. Bij de popjes is de washuid bruinachtig van kleur.
Verspreiding: Australië.
Woongebied: Grasparkieten leven in open gebieden met verspreide boomgroei. In langdurige droogteperioden zwerven ze rond in grote groepen over uitgestrekte gebieden op zoek naar voedsel en water. Ze worden soms met tienduizenden tegelijk bij afgezonderde waterpoelen aangetroffen.
Omgevingstemperatuur: Ze kunnen in een volière met een vorst- en tochtvrij nachtverblijf overwinteren.
Bijzonderheden: Grasparkieten zijn erg sociale dieren die prima met meerdere soortgenoten in een gezelschapsvolière gehouden kunnen worden. Veel planten in de volière plaatsen, heeft bij deze soort geen zin. Door hun knaaglust zal er weinig van overblijven. Indien ze gehouden worden met kleine tropische vogels is toch wel enige voorzichtigheid geboden. Hoewel het soms hele tijden goed kan gaan zijn er toch individuen die zomaar ineens, zonder duidelijke aanleiding, uithalen naar kleine tropische vogels. Heel vaak leidt dit dan tot (ernstige) poot- en teenverwondingen. Broeden doen

grasparkieten in nestkastjes met een bodemoppervlak van 15 x 15 cm, een hoogte van 20 centimeter en een invlieggat van 4 centimeter. Het popje legt vier tot zes witte eitjes, die zij alleen uitbroedt. Na achttien dagen komen de jongen uit. De jongen vliegen na circa vier weken uit en worden dan nog ongeveer twee weken (bij)gevoerd door de oudervogels. Naast de lichtgroene wildkleur bestaan bij de grasparkiet nog vele andere kleuren zoals wit (albino), geel (lutino), blauw, grijs, bont enzovoort.

Omgevingstemperatuur: Ze kunnen in een volière met een vorst- en tochtvrij nachtverblijf overwinteren.

Bijzonderheden: Het zijn vredelievende vogels die prima met kleinere soorten overweg kunnen. Als nestgelegenheid accepteren ze vrijwel alle soorten en vormen nestblokken, mits de ruimte binnenin het blok maar voldoende is. Als basis kan een nestblok met een bodemoppervlakte van 25 x 25 cm, een hoogte van 25 á 30 cm en een invlieggat van 8 centimeter worden aangehouden. Opvallend bij valkparkieten is dat tijdens het hele paringsgedrag het elkaar voeren ontbreekt, terwijl dat juist bij andere parkietensoorten heel duidelijk op de voorgrond staat. Na de eerste paring(en) duurt het gemiddeld ongeveer twee weken voordat het eerste ei gelegd wordt. De eieren worden om de dag gelegd tot een totaal van vier tot zes eieren. Meestal beginnen de vogels na het tweede ei met broeden. Man en pop lossen elkaar bij het broeden af. De man broedt meestal overdag en de pop 's nachts. De broedduur is achttien tot twintig dagen. De jongen hebben bij het uitkomen een vleeskleurige huid die bedekt is met geelkleurige donsveertjes. Na ongeveer zeven dagen openen de jongen voor het eerst hun ogen. Op een leeftijd van veertien dagen zijn bij de jongen de wangvlekken al vaag te onderscheiden en na circa vier

Valkparkiet
(Nymphicus hollandicus)
Grootte: 29 à 33cm.
Uiterlijk: Zie foto.
Geslachtsonderscheid: De kleur van de pop is vooral op de kop matter en veel minder sprekend. Bovendien is bij haar de staart aan de onderzijde onregelmatig geel gestreept, terwijl dat bij de mannetjes niet het geval is.
Verspreiding: De valkparkiet komt bijna in heel Australië voor.
Woongebied: Hun leefgebied is niet specifiek. Ze komen in diverse streken en gebieden voor. Valkparkieten leven in het wild in kleine groepjes.

weken hebben de jongen hun complete verenkleed.

Voorbeelden van vogelcollecties

Bij onderstaande vogelcollecties moet nooit meer dan één paartje per soort, in een gezelschapsvolière ondergebracht worden. Met twee paartjes van eenzelfde soort ontstaan vrijwel altijd moeilijkheden.

Benodigde ruimte

Onderstaande vogelcollecties zijn samengesteld uit de vogels die in dit boek zijn beschreven. Afhankelijk van de grootte van de volière kunt u uw collectie inkrimpen of uitbreiden. Als vuistregel kunt u aanhouden dat u per vierkante meter volière (inclusief nachtverblijf) ongeveer één paartje vogels kunt houden. Heeft u bijvoorbeeld een buitenvolière met een lengte van drie meter en een breedte van twee meter (3 x 2 = 6 vierkante meter) en een nachtverblijf van twee bij twee meter (2 x 2 = 4 vierkante meter) dan kun u hier circa tien paartjes in houden (6 + 4 = 10). Meer dan tien paartjes in een dergelijke volière is af te raden omdat er ook extra ruimte nodig zal zijn voor de jongen die eventueel geboren worden. Bedenk ook dat wanneer u grasparkieten en/of valkparkieten aan de collectie toevoegt dit van invloed zal zijn op de beplanting van de volière. Tekenen van overbevolking zijn (voortdurende) gevechten op zitstokken, in nestkastjes en bij de voerbakjes en drinkplaatsen.

Vogelcollecties die kunnen overwinteren in een vorst- en tochtvrij
nachtverblijf en redelijke kans op
broedsucces geven zijn:
1. Goudmus, rijstvogel (in diverse
kleurslagen verkrijgbaar), diamantduifje, Chinese dwergkwartel, zebravink (in diverse kleurslagen verkrijgbaar), witkopnon,
zangkanarie, Japans meeuwtje
(in diverse kleurslagen verkrijgbaar), bandvink, Bourkes parkiet
en valkparkiet (in diverse kleurslagen verkrijgbaar).

2. Diamantvink, kanarie (zowel
zang- als kleurkanaries),

diamantduifje, elegantparkiet,
valkparkiet, Japans meeuwtje,
oranjekaakje, Mozambiquesijs,
Chinese dwergkwartel, witkopnon en ceresamadine.

Vogelcollectie waarvan enkele
soorten in een verwarmd nachtverblijf moeten overwinteren. Dit
zijn de met een asterisk * aange-
duide soorten.
1. Ceresamadine, oranjewever,
oranjekaakje, witkopnon,
Chinese dwergkwartel, bandvink, valkparkiet, elegantparkiet,
goudmus, goudbuikje*, napole-
onnetje* en Gouldamadine*.

Ringen van jonge vogels

Indien er jongen geboren worden in de volière is het verstandig ze te voorzien van een vaste voetring. Door hier een administratie van bij te houden is onder andere na te gaan wat de leeftijd van de vogel is en uit welke ouders hij/zij voortkomt. Een vaste voetring is voorzien van een kweeknummer (gebonden aan de eigenaar), het jaartal waarin de vogel geboren is en een volgnummer. Voetringen kunnen besteld worden bij de ringencommissaris van een vogelvereniging. U dient dan echter wel als lid ingeschreven te zijn bij de betreffende vogelvereniging.

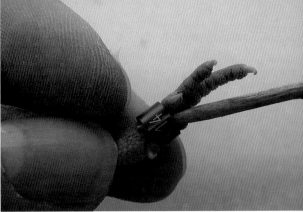

De meeste jonge vogels moeten geringd worden tussen de zesde en achtste dag na de geboorte. De ring moet niet te laat aangebracht worden omdat in een te laat stadium de voet al zo groot is dat de ring niet meer past. Als de vogel te vroeg geringd wordt bestaat de kans dat de ring afglijdt. Bij het ringen moet het jong met warme handen vastgepakt worden. Het ringen wordt als volgt uitgevoerd: De ring wordt eerst over de voortenen geschoven en vervolgens (gedeeltelijk) over de achtertenen, die er met een gepunt luciferstokje of stompe tandenstoker worden doorgehaald. Om het ringen gemakkelijker te maken kunnen de tenen aan elkaar 'geplakt' worden met vaseline. Dat kunt u na het ringen weer gemakkelijk van de poot verwijderen.

Bichenow astrilde

Indien uw volièrevogels een optimale verzorging krijgen en alle levensnoodzakelijke voedingsstoffen in voldoende mate krijgen aangeboden, zal de kans op ziekte en gebreken relatief klein zijn. Toch blijft de mogelijkheid altijd aanwezig dat een vogel ziek wordt. Vooral in een gezelschapsvolière zal de kans op besmetting van andere vogels groot zijn. Snelle herkenning en ingrijpen is daarom gewenst.

Herkenning zieke vogel
Het is erg belangrijk dat de verzorger merkt dat zijn vogel ziek is. Dagelijkse observatie van de vogels is daarbij erg belangrijk. De ervaring leert dat bij vogels die er

niet helemaal fris bijzitten vaak nog te lang wordt gewacht met ingrijpen. Hierdoor krijgt de vogel vaak niet de verzorging die op dat moment gewenst is. Ook een 'verdachte' vogel moet direct uitgevangen worden omdat een dergelijke vogel, ondanks dat hij nog geen duidelijke ziekteverschijnselen vertoont, vrij gemakkelijk een eventuele andere vogel kan besmetten, bijvoorbeeld via de ontlasting. Snelle herkenning en ingrijpen is verder van belang omdat zieke vogels niet of slecht eten en de meeste vogels slechts 24 uur zonder voedsel kunnen.

Bij verdenking van ziekte is het belangrijk dat de betreffende vogel ongemerkt bekeken kan worden. Merkt de vogel namelijk de verzorger op, dan zal hij zich heel anders gedragen en veelal glad in de veren (gaan) zitten. Op zo'n moment wordt snel gedacht dat de vogel niets mankeert. Het lijkt of er niets aan de hand is maar als de verzorger uit zicht is, zal de vogel snel zijn ziekelijke houding (gesloten ogen, opgezette veren) weer aannemen. Dit 'bol zitten' zoals een dergelijke houding genoemd wordt, is het belangrijkste kenmerk van een zieke vogel. Een vogel met dergelijke kenmerken kan reeds in een ver gevorderd stadium ziek zijn. Over het algemeen geldt dan ook dat een zichtbaar zieke vogel ernstig ziek is.

Zieke vogels dienen apart in een ziekenkooi gezet te worden. Besmetting van eventuele andere vogels wordt door deze handelswijze zoveel mogelijk voorkomen. Het verblijf waarin de zieke vogel zich bevond, dient direct te worden ontsmet. Voederbakken, drinkfonteintjes, zitstokken en speelattributen vragen hierbij extra aandacht. Gedurende een aantal dagen zal de verzorger extra alert moeten zijn op ziekteverschijnselen bij eventuele andere vogels.

Bolzitten

Bij een zieke vogel is de warmteregulatie verstoord, daardoor zal de vogel doorgaans minder voer opnemen dan normaal. Minder eten heeft tot gevolg dat hij vermagert en na verloop van tijd moeite zal krijgen zijn lichaamstemperatuur op peil te houden.

Door nu 'bol te gaan zitten' probeert de vogel zijn lichaamswarmte zo goed mogelijk van de omringende lucht te isoleren. In dit stadium is het dan ook erg belangrijk dat de vogel extra warmte krijgt. Deze extra warmte kan gegeven worden door de vogel in een kant-en-klaar gekochte (of zelfgemaakte) ziekenkooi te plaatsen.

Ziekten

Bij ziekte van een vogel kan de diagnose natuurlijk het beste gesteld worden door een dierenarts. Het is ook de dierenarts die veelal de medicijnen zal moeten verstrekken. Helaas is de ervaring dat er maar weinig dierenartsen zijn, die gespecialiseerd zijn in ziekten bij vogels. Een ander probleem is dat een dier niet kan aangeven waar hij/zij last van heeft. Dit in tegenstelling tot mensen, die dat wel kunnen. Het stellen van een juiste diagnose zal dan ook, vooral als het om vogels gaat, niet gemakkelijk zijn. Om u, als verzorger, op weg te helpen bij het herkennen van vogelziekten wordt hieronder een aantal veel voorkomende ziekten omschreven met de daarbij behorende verschijnselen en therapie. Wees er zeker van, alvorens u zelf gaat 'dokteren', dat de diagnose die u gesteld heeft, de juiste is. Bij twijfel dient u altijd de dierenarts te raadplegen. Hetzelfde geldt voor ziekten die niet in dit boek zijn behandeld.

Oranjekaak

Bloedarmoede

Bloedarmoede kan worden veroorzaakt door een slechte voeding of door de gevreesde bloedmijt (rode vogelmijt). De kleur van o.a. slijmvliezen, huid en poten is bij vogels, die lijden aan bloedarmoede lichter, daarbij zien we vaak ook vermagering van de vogel.

Therapie: Verbeter de voeding. Als er sprake is van bloedmijten dan moeten deze bestreden worden met een mijtenspray. De mijtenspray dient niet schadelijk te zijn voor de vogels. Zie verder onder bloedmijt.

Bloedmijt

De bloedmijt, ook wel rode vogelmijt genoemd, is een zeer klein, nauwelijks met het blote oog waar te nemen spinachtig diertje. Bij warm weer, zoals in de zomer, vermenigvuldigen mijten zich zeer snel. Bloedmijten kunnen in elk vogelverblijf terecht komen. De rode vogelmijten verschansen zich overdag in spleten, kieren en gaten en kruipen 's nachts te voorschijn om bloed te zuigen bij de vogels. Volgezogen mijten zijn als rode punten herkenbaar. De aanwezigheid van bloedmijten kan aangetoond worden door met een mes door de kieren en naden te strijken van het vogelverblijf. Bij aanwezigheid zullen er bloedsporen op het mes zichtbaar zijn. Mijten zijn voor een volwassen vogel niet direct (levens)gevaarlijk maar op de lange duur zal de vogel er zeker door verzwakken.

Therapie: Bloedmijten moeten bestreden worden met een mijtenspray. De mijtenspray dient niet schadelijk te zijn voor de vogels (lees de aanwijzingen op het etiket). Een mijtenspray is in een dierenspeciaalzaak te koop.

Darmontsteking (enteritis)

Diarree is een specifiek kenmerk van een darmontsteking. Daarnaast zitten vogels met een darmontsteking lusteloos in elkaar gedoken met de kop tussen de veren en zijn ernstig ziek. De oorzaken van een darmontsteking kunnen talrijk zijn. De oorzaken van darmontsteking kunnen zijn:

- **Bedorven voedsel**
  Voedsel kan ranzig worden wanneer het niet goed wordt opgeslagen. Rul (vochtig) gemaakt eivoer/krachtvoer is vooral bij warm weer snel onderhevig aan bederf. Vogelzaden dienen altijd droog en koel bewaard te worden. Verstrek eivoer/krachtvoer zoveel mogelijk droog. Bij warm weer dient rul gemaakt eivoer minimaal tweemaal per dag ververst te worden.
- **Teveel aan ijzer in de voeding**
  Water met een hoog ijzergehalte (bijvoorbeeld water uit roestige drinkbakken of welwater) kan de oorzaak zijn van een grijsachtige diarree. De oplossing voor dit probleem is andere drinkbakjes plaatsen en kraanwater verstrekken.
- **Teveel vochtopname**
  Oorzaken hiervan kunnen zijn:

teveel zout in de voeding en/of het verstrekken van teveel groenvoer. Ga de samenstelling van de voeding na en stop voorlopig met het verstrekken van groenvoer.

- Tochtige huisvesting

Tocht in het vogelverblijf kan er de oorzaak van zijn dat vogels kouvatten. Kouvatten gaat vrijwel altijd samen met een darmontsteking en dus diarree. Een tochtvrije huisvesting is de voor de hand liggende oplossing.

- Wormen

Wanneer zich wormen in de darmen van de vogel bevinden, zullen deze afvalstoffen uitscheiden. De uitscheidingsproducten van deze wormen zijn giftig waardoor diarree bij de vogel kan ontstaan. Toedienen van een ontwormmiddel, bijvoorbeeld ivermectine, volgens voorschrift, is hier de remedie.

- Vergiftiging

Met bestrijdingsmiddelen behandelde groenvoeders kunnen diarree veroorzaken.
Groenvoeders dienen altijd (!) goed gewassen te worden alvorens ze aan de vogels worden verstrekt.

Therapie bij diarree:
Als eerste worden de veren die besmeurd zijn met ontlasting gewassen met een spons en lauw water. Vervolgens plaatst u de zieke vogel in een ziekenkooi, waarin de temperatuur rond de 35 °C moet zijn. Verstrek enkelvoudige voedersuikers zodat de vogel snel over energie kan beschikken. Door het verstrekken van enkelvoudige suikers (bijvoorbeeld druivensuiker) wordt de vogel weer snel in staat gesteld zijn normale voedsel op te nemen. Enkelvoudige suikers kunnen het beste in water worden opgelost en als drinkwater worden verstrekt. Het water dient niet te koud gegeven te worden en twee keer per dag ververst te worden. Indien de vogel te zwak is om te drinken, kan de suikeroplossing met behulp van een kropnaald rechtstreeks in de krop worden gebracht. Als voeding verstrekt u blauwmaanzaad en andere 'stoppende' (diarree remmende) zaden. Daarnaast kunnen beschuitkruimels worden gegeven met wat houtskoolpoeder of fijngemaakte Norit tabletten. Het laatste kan ook gemengd worden met de (stoppende) zaden. Zo gauw verbetering optreedt, kan gestopt worden met het verstrekken van de in water opgeloste enkelvoudige suikers. De temperatuur in de ziekenkooi dient zeer geleidelijk teruggebracht te worden. Het is altijd verstandig een dierenarts te consulteren. Deze zal naar alle waarschijnlijk een antibioticum voorschrijven.

Diarree

Zie bij darmontsteking (enteritis).

Doorgroeiende ondersnavel

Vooral bij parkietachtigen kan het voorkomen dat de ondersnavel

Goudmus (man)

Goudmus (pop)

Witkopnon (pop)

Witkopnon (pop)

doorgroeit. Wordt er niets aan gedaan dan zal de vogel al snel problemen krijgen bij het pellen van zaden en uiteindelijk verhongeren.

Therapie: De snavel kan gewoon geknipt worden met een schaar of kniptangetje.

Kouvatten

Kouvatten kan gemakkelijk veroorzaakt worden door grote temperatuurverschillen. Ook een tochtige en vochtige huisvesting kan aanleiding geven tot kouvatten. Een andere oorzaak kan zijn dat een vogel kouvat na het baden. Vogels die kougevat hebben zitten als een zielig bolletje in elkaar gedoken met de kop tussen de veren. De vleugels hangen naar beneden en de ademhaling is bemoeilijkt. Veelal vloeit uit de neus een slijmerige vloeistof die er de oorzaak van is dat de vogel vaak moet niezen.

Therapie: Een vogel die kou heeft gevat, dient in een ziekenkooi geplaatst te worden waarin de temperatuur rond de 35 °C moet zijn. Verstrek enkelvoudige voedersuikers zodat de vogel snel over energie kan beschikken. Door het verstrekken van enkelvoudige suikers (bijvoorbeeld druivensuiker) wordt de vogel weer snel in staat gesteld zijn normale voedsel op te nemen. Enkelvoudige suikers kunnen het beste in water worden opgelost en als drinkwater worden verstrekt. Het water mag niet te

koud zijn en moet twee keer per dag worden ververst. Indien de vogel te zwak is om te drinken kan de oplossing met behulp van een kropnaald rechtstreeks in de krop worden gebracht. Als voeding verstrekt u volop fruit, groenvoer en een goed zaadmengsel. Zo gauw er verbetering optreedt, kan gestopt worden met het verstrekken van de in water opgeloste enkelvoudige suikers. De temperatuur in de ziekenkooi dient zeer geleidelijk teruggebracht te worden naar kamertemperatuur. In ernstige gevallen is het verstandig een dierenarts te consulteren. Deze zal dan naar alle waarschijnlijk een antibioticum voorschrijven.

Kropziekte

Vogels die aan kropziekte lijden, braken voortdurend hun krop leeg. Het braaksel bestaat uit een kleverig slijm. Door voortdurend slingerende bewegingen met de kop te maken besmeurt de vogel uiteindelijk het hele gezicht en ten slotte ook de kop- en halsveren met dit slijmerige braaksel. Eigenaardig bij deze ziekte is dat de veren niet opgezet maar glad gestreken gedragen worden. Een vogel die aan kropziekte lijdt moet binnen 24 uur worden geholpen omdat hij anders sterft.

Therapie: Toediening van een antibioticum is voor deze ziekte de enige effectieve therapie. Antibiotica zijn bij een dierenarts te verkrijgen.

Legnood

Van legnood is sprake als de vrouwelijke vogel haar ei niet kan leggen. Als een pop legnood heeft, gaat ze met opgezette veren op de bodem van het verblijf zitten. Legnood treedt vaak op bij te jonge poppen. Grote wisselingen in de temperatuur en hevige kou kunnen eveneens legnood veroorzaken.

Therapie: Popjes met legnood moeten zeer voorzichtig gevangen worden. Eenmaal gevangen moeten ze in een vochtige warme doek gewikkeld worden en boven een pan kokend water gehouden worden (pas op brandwonden!). Bij dit alles is het aan te bevelen de cloaca van het popje in te smeren met slaolie. Een andere therapie die kan worden toegepast, is het achterlijf van het popje beurtelings in warm (handwarm!) en koud water te dompelen. Ook hier is het aan te bevelen de cloaca in te smeren met slaolie. Een derde mogelijkheid is enkele druppels lauwe slaolie met een spuitje (zonder naald!) in de cloaca te druppelen. Bedenk dat het eitje onder geen voorwaarde in het vogellichaam mag breken: dat zal zeker de dood van het popje betekenen.

Ontstoken ogen

Ontstoken ogen willen nogal eens voorkomen in de wintermaanden. Veelal treedt dit probleem ook op in slecht geventileerde ruimten. In het laatste geval dient de ventilatie verbeterd te worden. Oogstekingen worden ook nog wel eens gezien bij vogels met te lange nagels. Bij het krabben van bijvoorbeeld de kop kan gemakkelijk het oog geraakt en verwond worden. Controleer regelmatig de nagels van de vogels zodat verwondingen door te lange nagels niet voor kunnen komen.

Therapie: Behandel het ontstoken oog met boorwater of gekookt (lauw) water. Het uitwassen dient te geschieden met een in water gedrenkt watje. Bij het uitwassen het watje slechts één keer gebruiken. Een hardnekkige oogontsteking zal behandeld moeten worden met een antibioticumzalf of oogdruppels, bijvoorbeeld

Ontstoken oog

Rijstvogel

globenicol oogzalf of neomycine oogdruppels, die bij een dierenarts te verkrijgen zijn. Lange nagels moeten met een schaar worden geknipt. Houd hierbij het nageltje tegen het licht zodat te zien is waar de bloedvaatjes lopen.

Ornithosis (vogelziekte)

Ornithosis, ook wel vogelziekte genoemd, is sterk verwant aan psittacosis, ook wel papegaaienziekte genoemd. De verwekkers van beide ziekten zijn virussen. Vogelziekte en papegaaienziekte hebben geen erg duidelijke symptomen. De symptomen komen nog het meest overeen met de verschijnselen zoals die gezien worden bij griep. Deze verschijnselen zijn: opgezette veren, kortademigheid, ontstoken ogen en een 'lopende' neus. Door de neusafscheiding zien we bij de vogels vaak vieze veren. De ziekte is zowel voor vogels als mensen besmettelijk!

Therapie: Ingeval van ornithosis of psittacosis zal een dierenarts moeten worden geconsulteerd. De dierenarts zal antibiotica voorschrijven.

Pootfractuur

Pootfracturen kunnen ontstaan door ongelukken of gevechten. Ook als de vogel ('s nachts) ergens van schrikt kan een pootfractuur gemakkelijk optreden. Een klein nachtlampje kan dit risico verkleinen.

Therapie: Een gebroken poot moet worden gefixeerd. Voor het fixeren kan gebruik gemaakt worden van een opengeknipt rietje of een veerschacht. De poot dient goed recht gehouden te worden en omwonden te worden met één tot drie windsels leukoplast. De vogel dient apart gehuisvest te worden in een kooi zonder zitstokken. Om aanpikken van het windsel te voorkomen kan de vogel een halskraag omgedaan worden. Het windsel mag na veertien dagen verwijderd (voorzichtig doorknippen) worden.

Psittacosis (papegaaienziekte)

Zie bij ornithosis.

Schurftmijt

Schurftmijten leven dag en nacht op de vogels en veroorzaken wratachtige woekeringen. De schurftmijten graven gangen in de huid en voeden zich met huidweefsel. De verschijnselen zijn veelal het eerst waarneembaar bij de washuid van de snavel. De aandoening is besmettelijk voor andere vogels.

Therapie: Een met schurftmijt besmette vogel moet behandeld worden met een insecticide. Ernstige woekeringen dienen eerst enkele dagen met een insecticide te worden geweekt. Daarnaast kunnen de wratachtige woekeringen met zuurvrije vaseline worden ingesmeerd, zodat de mijten worden afgesloten van zuurstof. Denk er wel om dat de neusgaten vrij blijven. Raadpleeg bij met schurftmijt besmette vogels een dierenarts.

Vederluizen/vedermijten

Vederluizen en vedermijten kunnen veeruitval veroorzaken. Ook remmen ze groeiende veren in hun ontwikkeling.

Therapie: Voor het stellen van de juiste diagnose is het raadzaam veren op te sturen of mee te nemen naar een dierenarts. De veren dienen dan wel, direct nadat ze zijn uitgetrokken, in een goed afgesloten plastic zakje te worden gedaan. Gebruik geen veren die op de bodem liggen, de luizen of mijten zitten hier namelijk niet meer op! Vederluizen en vedermijten moeten bestreden worden met een insecticide. Raadpleeg bij een besmetting met vederluis of vedermijt een dierenarts.

Verwondingen

Verwondingen kunnen gemakkelijk voorkomen. Door gevechten of ongelukken kunnen zowel kleine als grote verwondingen ontstaan. Kleine wondjes genezen in de meeste gevallen wel spontaan. Grotere wonden, vooral die aan de kop, moeten behandeld worden.

Therapie: Gewonde vogels moeten, net als overigens alle zieke vogels, apart gezet worden. De kans bestaat namelijk dat andere vogels aan de wond gaan pikken. Ontsmet de wond(en). Het ontsmetten kan gebeuren met jodiumtinctuur of een ander ontsmettingsmiddel. Zonodig en indien mogelijk kan de wond verbonden worden. Om te voorkomen dat de vogel aan het verband of aan de wond gaat pikken kan een halskraag gegeven worden. Grote wonden moeten gehecht worden door een dierenarts. Bij grote verwondingen dient daarom altijd een dierenarts geraadpleegd te worden.

Vleugelfractuur

Vleugelfracturen ontstaan vrijwel altijd door ongelukken.

Therapie: Indien een vogel een vleugelfractuur heeft opgelopen dient de gebroken vleugel met een verband tegen het lichaam te worden gefixeerd. Hiervoor is een drietal windsels noodzakelijk. Het eerste windsel wordt rond de borst en voorzijde van de vleugels aangebracht. Het tweede windsel rond de buik en het midden van de vleugels en het derde rond de staart en eindpunten van de vleugels. Het verband mag na ruim twee weken worden verwijderd.

Wormen

Een wormbesmetting vindt plaats doordat de vogel wormeieren of wormlarven van besmette vogels opneemt. Bij een chronische worminfectie ziet u een algemene achteruitgang in conditie en

Rijstvogel

vermagering. Indien niet wordt ingegrepen, zal de vogel uiteindelijk sterven. Vooral jonge vogels blijken gevoelig voor worminfecties. Worminfecties treden vaak in de warme zomermaanden op. Met betrekking tot worminfecties kan onderscheid gemaakt worden tussen worminfecties in het darmkanaal en worminfecties in de luchtwegen.

Therapie: Vogels met een worminfectie dienen een zogenaamd ontwormmiddel, bijvoorbeeld ivermectine, toegediend te krijgen. Het ontwormmiddel dient strikt volgens voorschrift te worden gegeven. Een goede methode van ontwormen is het wormmiddel toe te dienen met behulp van een druppelpipet of kropnaald. Gezien het besmettingsgevaar dient tijdens de wormkuur de vogelkooi en/of volière te worden gereinigd en moeten nieuwe zitstokken worden aangebracht. Ook de drink- en voerbakjes moeten gereinigd en ontsmet worden. Een wormkuur bestaat veelal uit twee fasen.

Euthanaseren van vogels

Het euthanaseren van vogels is één de meest vervelende dingen die een vogelliefhebber kan overkomen. Gelukkig kunnen in de meeste gevallen ziekten en gebreken voorkomen worden. In die gevallen, waarin een vogel niet beter wordt of kan worden, zal de verzorger een keuze moeten maken. Hierbij moet de vraag

gesteld worden in hoeverre de vogel nog langer pijn moet lijden en of het niet beter is de vogel uit zijn lijden te verlossen. Het snel en vooral pijnloos doden van een (dood)zieke vogel kan het beste gebeuren door een dierenarts.

Ontsmettings- en bestrijdingsmiddelen

Ter bestrijding van ziekten en ongedierte zijn respectievelijk ontsmettingsmiddelen en bestrijdingsmiddelen noodzakelijk. Beide middelen hebben een verschillende functie. Een ontsmettingsmiddel wordt gebruikt om een vogelverblijf te zuiveren van bacteriën, virussen en schimmels. Een bestrijdingsmiddel is bedoeld ter bestrijding van zowel uitwendige parasieten (zoals luizen en mijten) als inwendige parasieten (zoals wormen).

Ontsmettingsmiddelen

Ontsmetten van het totale vogelverblijf (inclusief drink- en voederbakken) is noodzakelijk als de vogel een besmettelijke ziekte heeft opgelopen. De zieke vogel dient onmiddellijk uitgevangen en apart gezet te worden. Deze handelswijze is erop gericht de betreffende vogel beter te kunnen behandelen en besmetting van eventuele andere vogels te voorkomen. Er is een grote kans dat de zieke vogel het vogelverblijf en de materialen in het vogelverblijf heeft besmet, daarom is een grondig uitgevoerde ontsmetting van het totale vogelverblijf noodzakelijk.

Ontsmettingsmiddelen dienen met zorg gekozen te worden. Volg zorgvuldig de voorschriften op de verpakking op. Voorbeelden van ontsmettingsmiddelen zijn Halamid en Halapur.

Bestrijdingsmiddelen

Zoals reeds is opgemerkt, zijn bestrijdingsmiddelen bedoeld ter bestrijding van ongedierte. Vederluis en bloedmijt zijn hier voorbeelden van. Ook voor bestrijdingsmiddelen geldt, dat ze met zorg gekozen moeten worden. De voorschriften, zoals die worden aangegeven op het etiket, dienen met zorg te worden opgevolgd.

Ziekenkooi

Een ziekenkooi voor volièrevogels moet een afmeting hebben van ongeveer 40 cm hoog, 30 cm diep en 50 cm breed. Een goede ziekenkooi heeft een ingebouwde verwarming (vaak wordt hier een infrarode lamp voor gebruikt) en aan de binnenzijde een thermometer. Warmte van een infrarode lamp dringt enkele millimeters in de huid van de zieke vogel door. Let er op dat de ziekenkooi gemakkelijk schoon te houden is en gemakkelijk gedesinfecteerd kan worden.

Het is ook mogelijk om een zieke vogel in een gewone kooi te plaatsen en deze op een warme plaats te zetten. Zo'n warme plaats is bijvoorbeeld boven op de radiator van de centrale verwarming of

voor of naast de kachel. Een thermometer is nodig om de temperatuur te kunnen controleren. De temperatuur in de ziekenkooi moet namelijk ongeveer 35 °C zijn. Door de warmte zal de vogel meestal meer water gaan drinken. Houd hier rekening mee. Wat echter de juiste temperatuur voor een zieke vogel is, kan alleen zijn gedrag vertellen. Blijft de vogel 'bol zitten' dan is de temperatuur mogelijk nog te laag, gaat de vogel met open snavel hijgen, dan is de temperatuur te hoog.

Naast warmte moet de vogel ook een wat koelere plek kunnen vinden. Zorg er verder voor dat er niet te veel licht in de ziekenkooi kan doordringen omdat te veel licht de vogel kan irriteren. Zet de ziekenkooi behalve op een warme plaats, ook op een rustige, tochtvrije en rookvrije plaats.

Zelf een ziekenkooi maken

Voor het maken van een ziekenkooi voor volièrevogels zijn de volgende zaken van belang:
- Gebruik een (kist)kooi van circa 50 cm breed, 40 cm hoog en 30 cm diep. Zorg dat aan de voorkant van de kooi zowel plexiglas als een traliewerk gemonteerd kan worden. Voorzie de kooi van een (ruim) deurtje;
- Maak de kooi van gemakkelijk te reinigen materiaal (bijvoorbeeld trespa of aluminium);
- Voorzie de kooi van een thermometer;

• Voorzie de kooi van een warmtebron (bijvoorbeeld een infrarode lamp). Het is echter ook mogelijk de kooi voor of boven de radiator van de centrale verwarming te zetten of voor of naast een kachel te plaatsen. Indien u een infrarode lamp gebruikt, is het wel belangrijk dat de vogel genoeg ruimte heeft om van de warmtebron weg te kruipen zodat hij niet oververhit raakt. Bij een 'open kooi' die op of voor een radiator is geplaatst, zal oververhitting minder snel voorkomen;

• Voorzie de bodem van een schuiflade zodat de ontlasting gemakkelijk verwijderd kan worden;

• Maak boven de schuiflade in de kooi een los gaasraam. Dit voorkomt dat de vogel met zijn ontlasting in aanraking komt! De maaswijdte van het gaas dient aangepast te zijn aan de grootte van de vogel. Het gemakkelijkste is om het gaas aan twee zijden om te buigen en vervolgens in de lade te plaatsen;

• Plaats de zitstok(ken) zo dat de vogel gemakkelijk bij voer en water kan komen. Bij ernstig zieke vogels is het gunstig als de zitstok net boven de gaasbodem is geplaatst. De staart van de vogel kan dan op de gaasbodem rusten zodat de vogel gemakkelijk zijn evenwicht kan houden. De dikte van de stok dient zodanig te zijn dat de tenen van de vogel de stok niet helemaal kunnen omvatten.

• Leg op de bodem van de schuiflade waterbestendig materiaal, bijvoorbeeld plastic of vetvrij papier, zodat de ontlasting goed te onderscheiden is.